梅西埃与卡米耶

贝克特作品选集9

[爱尔兰] 萨缪尔·贝克特 著

梅西埃与卡米耶

方颂华 译

湖南文艺出版社·长沙

SAMUEL BECKETT
MERCIER ET CAMIER

© 1970 by Les Éditions de Minuit
根据午夜出版社 1970 年法文版翻译
并获简体中文版出版授权

一

关于梅西埃和卡米耶的旅行,如果我想的话我就能讲述出来,因为当时我一直和他们在一起。

这是一次实际上相当容易的旅行,无须漂洋过海,也不必跨越国界,经过的地区没有高山峻岭,尽管偶尔会有些荒漠。梅西埃和卡米耶,他们一直是在自己国家境内,他们拥有这种无法估量的好运气。带着多多少少的幸运,他们无须面对异域风俗,感受某种奇怪的语言、法规、气候和饮食,置身于一种陌生的景观,一种跟他们从幼年到壮年一直饱受磨砺的环境几乎没有相似之处的景观。尽管经常是严寒的天气(他们已然习惯),但也从来不会超出温带的界限,换句话说,居住在他们国家的人只要正常地穿衣穿鞋,都还是可以承受这种天气的,尽管会带来些麻烦,却绝无危险可言。至于金钱,如果说他们的钱不足以乘坐头等车厢、下榻豪华酒店,但还是足够往返,无须伸手向别人求援。于是可以确定，在这方面，条件对他们来说还是有利的，恰如其分地有利。他们需要斗争，但这种斗争与很多人相比，也许和大部分人相比都要少一些，这些人的旅行都是在一种时而清晰时而混沌的需要下推动而成的。

在开始这次旅行之前，他们在尽其可能达到的平静气氛中，进行了长时间的商议，他们掂量着这次旅行会给他们带来的得与失。他们会轮换着发表悲观的看法或乐观的预见。在这些争论中唯一可以确定的一个观点，就是不要轻率地投入冒险。

卡米耶第一个赴约。也就是说在他到的时候梅西埃还不在。事实上，梅西埃比他早到了十分钟。因此，是梅西埃而不是卡米耶首先赴约。梅西埃仔细地察看了他的朋友可能走来的各条通道，耐心等待了五分钟，然后他走开转了一圈，大约用了一刻钟的时间。轮到卡米耶了，他没有见到梅西埃过来，于是在五分钟后他也走开去转了一小圈。一刻钟后他重新回到约会地点，还是没法看到梅西埃。这很容易理解。因为梅西埃在约好的地方又耐心地等了五分钟后，再次走开去活动活动腿（这是他非常喜欢的一种说法）。于是，卡米耶在呆呆地等了五分钟后再次走开，同时暗想，可能我会在附近的街道撞上他。正是在这个时候,梅西埃在散了一小会儿步后回来了,这次散步没有超过十分钟,梅西埃看到一个在晨雾中远去的身影,隐隐约约,像是卡米耶,的确也正是他。不幸的是这个身影消失了,就好像被大街吞没了一样,梅西埃只好停住不动。但是经过了正成为规律性的五分钟后,他放弃了等待,因为他需要活动活动。因此,对梅西埃和卡米耶来说,他们的喜悦是出现在一个极端时刻,在分别经过了五分钟和十分钟的无所事事、焦躁不安后,他们同时走向广场,他们面对面地重逢了,这是前一天晚上以来的第一次。这时是九点五十分。

也就是说:

	到达	离开	到达	离开	到达	离开	到达
梅西埃	9:05	9:10	9:25	9:30	9:40	9:45	9:50
卡米耶	9:15	9:20	9:35	9:40	9:50		

真是够矫情的。

在他们拥抱的时候,雨开始落下来,完全是东海岸那种突如其来的骤雨。他们于是飞奔到一个外形像座宝塔似的躲雨的地方,它建造在这里,就是供人们避雨或者躲避其他异常天气的,总之是用来应付不测风云的。这个地方光线阴暗,而且到处是角落和凹室,很适合情侣，也适合老年人，不论是男的还是女的。在我们这两个可爱的家伙进去的同时，一只狗也钻了进去，后面还紧跟着另一只。梅西埃和卡米耶相对而视，犹豫不决。他们刚才的拥抱没有尽兴，但这并不妨碍他们从头开始。而那两只狗已经开始做爱，展现出一种完美的天性。

这个他们重逢的地方，这个他们费了番周折才最终达成一致作为约会地点的地方，并不能说是个真正意义上的大广场，而只是被纵横交错的大街小巷围在当中的一个小广场。这个广场里有植物，四周有花、水池、喷泉、雕塑、草坪和常见的长椅，它们密集在小小的空间里，使广场似乎有些窒息。这个小广场像是个迷宫，穿行其间并非那么容易，必须在熟悉之后才能一次就顺利地走出来。当然，走进广场是最简单不过的了。在广场的中心，或者说差不多在中心的位置，矗立着一棵紫红色的山毛榉，枝繁叶茂，光泽鲜明，树干上被人粗暴地钉上了一块说明牌，根据牌上的说法，这棵树是由一位法国元帅在几个世纪前种下的，他有着一个听起来很安详的名字——圣鲁特。牌上的铭文说，树刚刚种下不久，他——那位元帅——就死于一颗加农炮弹，献身于他一直献身的那项令人非常遗憾的事业，这是在一个从景观上看与他曾驰骋过的沙场截然不同的战场，在之前的沙场上，他从士官晋职到尉官，不断地证明自我，如果说在战场上唯有遵循这样的顺序才能证明自我的话。可能是因为这棵树，这个广场才得以存在，这一结果元帅本人也不会料到，与梅花形栽植的树丛不同，这棵树面对着优雅而有闲的阶层，用它那盛满暮露的树洞，支撑着纤弱的野生幼苗。不过，为了和这棵树做个了结，后文将不再提到它，我们最后要说的是，这棵树仅存的些许魅力在于为广场增辉，当然，也包括它的名称，也就是说圣鲁特广场。气息不畅的巨树已经接近它生涯的末期，它在不断地枯败，最终会有一天它将被人挪走，枝干不全、分成几块地挪走。随后，在某一小段时间内，在这个被冠以传奇名称的广场上，人们会更畅快地呼吸。

梅西埃和卡米耶以前没有来过这个广场。这可能就是他们选定在这里见面的原因。有些事情，我们是永远也无法确切地弄明白的。

透过橘黄色的玻璃，雨在他们眼中仿佛是金色的，这使他们想到了不同的地方，因当初远行时的偶然，一个人想的是罗马，另一个人想的是那不勒斯，但是他们不会向对方说明自己的思绪，而且还带有一种接近于羞耻的情感。这对他们来说本应该是好事，一个已经遥远的年代侵占了他们的思绪，那时他们还年轻，怀着热情，钟爱绘画，嘲笑婚姻。但这对他们来说并没有成为好事。他们当时相互还不认识，但是自从他们认识之后，他们已经谈过，谈论这段年代，谈得过于多，由一次次的只言片语组合而成，按照他们习惯的谈话方式。

我们回去吧，卡米耶说。

为什么？梅西埃说。

白天估计不会停了，卡米耶说。

这是阵雨，时间多长不一定，梅西埃说。

我不能一直站着什么事儿也不做，卡米耶说。

那我们坐下来，梅西埃说。

这样更糟，卡米耶说。

那么我们来回地踱步吧，梅西埃说。搭着肩膀慢慢踱步。地方是小了些，不过再小一点也不要紧。你把我们的雨伞放在那儿，帮我把包拿下来，好了，谢谢，向前走吧。

卡米耶顺着他的话去做了。

一二一二，梅西埃说。

一二，卡米耶说。

间或天空会明朗一些，雨也落得没那么急了。他们于是停在门口。但是天空很快又暗了下来，雨又重新下得猛烈起来。

别看了，梅西埃说。

光听对我就足够了,卡米耶说。

的确是这样,梅西埃说。

耐心点,加把劲,卡米耶说。

狗不惹你烦吗?梅西埃说。

它为什么不抽出来?卡米耶说。

它不能啊,梅西埃说。

为什么?卡米耶说。

很普通的一个机制,梅西埃说,可能是为了确保授精。

它们开始是骑着来,卡米耶说,最后它们是屁股贴屁股。

你想什么呢?梅西埃说。高潮已经结束了,它们想分开,去找个角落撒尿,或者吃个屎团,但是它们不能。因此它们就背贴着背不理对方。换了你是它们,你也会这么做的。

这么精妙,我可做不到,卡米耶说。

那你会怎么做呢?梅西埃说。

我会装模作样,卡米耶说,对不能马上重新再来表示遗憾,因为本来干得多好啊。

在沉默了一段时间后卡米耶说:

如果坐倒的话,我会筋疲力尽的。

你是想说坐下,梅西埃说。

我是想说坐倒,卡米耶说。

那我们坐倒吧,梅西埃说。

各处的人都已经在忙着自己的事情了。空

气中充斥着高兴和不高兴的叫喊声以及一些人发出的淡定的声音,对这些人来说,生活已经使他们不再会有惊奇,不论是负面的还是正面的。而各种物体也开始笨重地活动起来,特别是重型交通工具,像卡车、大马车和公共车辆等。虽然雨势骤猛,但一切都重归秩序,与阳光普照时具有同样的热情。

你刚才让我等你了,梅西埃说。

说反了,卡米耶说,是你让我等你了。

我九点零五分就到了,梅西埃说。

我是九点十五分到的,卡米耶说。

你看,明明是你让我等你了,梅西埃说。

谁也没等,也没让别人等,卡米耶说,要是事先没说好一个时间的话。

那你说见面时间是几点呢?梅西埃说。

九点一刻,卡米耶说。

我不明白,梅西埃说。

你不明白什么?卡米耶说。

九点一刻,是什么意思,梅西埃说。

意思是九点十五分,卡米耶说。

那你就大错特错了,梅西埃说。

那就是说?卡米耶说。

你能别老让我吃惊吗?梅西埃说。

你解释一下,卡米耶说。

我闭上眼睛,又看到了那一幕,梅西埃

说，我的手抓着你的手，我的眼睛里噙着泪水，我那不够坚定的声音在说：那么明天见，九点钟。这时过来一个喝醉酒的女人，她唱着一首淫歌，还把她的裙子撩起来了。

她把你脑子都搞混了，卡米耶说。他掏出一个记事本，翻开并朗读道：星期一，二号，圣马凯尔日，梅西埃，九点一刻，圣鲁特广场。去埃莱娜家拿雨伞。

这能证明什么？梅西埃说。

我问心无愧，卡米耶说。

的确，梅西埃说。

我们永远无法知道，卡米耶说，当时我们是约在今天几点的。别再费劲了。

唯一有一点是肯定的，在这档子事儿上，梅西埃说，我们是在九点五十分见面的，分秒不差。

这我们还该感激呢，卡米耶说。

当时还没有下雨，梅西埃说。

清早的那股冲劲当时还在呢，卡米耶说。

你别丢了我们的记事本，梅西埃说。

正在此时，一长串恶人名单中的第一位跳了出来。他的绿制服是一种褪了色的绿，在制服上合乎规范的地方，隆重地装饰着一些英雄奖章和饰带，这适合他，非常适合他。在伟大的萨斯菲尔德①的榜样指引下,他差一点在保卫一块土地时殉职,这块土地本身肯定不会让他感兴趣,从象征意义上来说也可能不会使他斗志高昂。他拄着一根既优雅又厚重的拐杖,偶尔他甚至整个身体都会支撑在上面。他的腰非常不好,有时疼痛会划过臀部进入肛门,痛苦的信号会从这里贯穿整个肠道系统直到幽门瓣,当然还会延伸到尿道和阴囊,排尿的欲望几乎不断。他百分之十五已经算得上个废人,这使他被那些人中的绝大部分嫌弃,那些男人和女人,他曾经因为职业的关系以及自己好人的名声和他们常有来往。他有时候会觉得,在大风暴中,要么投身到家庭的小争斗中,或者去研究盖尔人的语言,要么进一步坚定自己的信仰,甚或探寻一种世上仅存的民俗的瑰宝,他都可以做得更好一些。身体上的危险会减少很多,获益则更为明确。但是在尝到个中苦味后,他已经有意识地去排除这种想法,似乎它配不上自己。他的胡子很想能硬起来,曾经也硬过,但再也做不到了。偶尔,当他想到这一点时,他就会从胡子下方朝上面喷出一股恶臭的气味,里面还混杂着些唾沫。这样胡子会重

---

① 当指帕特里克·萨斯菲尔德(Patrick Sarsfield),17世纪的将军,生于都柏林附近。

新挺立片刻。他在宝塔的台阶底部一动不动，披着的斗篷在滴着雨水，他的视线来回逡巡，从梅西埃和卡米耶看到狗，又从狗看到梅西埃和卡米耶。

这辆自行车是谁的？他说。

梅西埃和卡米耶对视了一下。

我们不需要它，卡米耶说。

拿走它，看守说。

也许这只是个小小的消遣，梅西埃说。

这两条狗是谁的？看守说。

我看，卡米耶说，我们不得不走开了。

这是不是我们所需要的一记鞭子，赶我们上路呢？梅西埃说。

你们逼我叫警察吗？看守说。

好像从台阶上传来的味道很不好，卡米耶说。

你们是想让我叫一个锁匠让他来撬锁呢？看守说，还是我自己踹着轮子把它拎走？

这些乱七八糟的话你听明白什么了吗？卡米耶说。

我已经朝很下面的地方在看，梅西埃说，我想，说的该是一辆自行车吧。

那又怎么样？卡米耶说。

它摆在这儿，梅西埃说，可能是违法了。

那么，让他拿走好了，卡米耶说。

他没办法,梅西埃说,有一个很普通的安全系统,像一把锁啊,或者一根绳子啊,把它拴在了可能是一棵树,或者是个雕塑上面。至少这是我的解释。

这个解释很合乎情理啊,卡米耶说。

不幸的是,不光有自行车,如果我没有弄错的话,梅西埃说,还有狗。

它们做错什么了?卡米耶说。

它们违反了规定,梅西埃说,就像小自行车一样。

但是它们没有拴在什么东西上面,卡米耶说,如果不是因为通过交媾彼此拴在一起的话。

的确如此,梅西埃说。

那么,让他尽他的职责吧,卡米耶说,让他帮我们马上赶走它们。

我同意你的看法,梅西埃说。

狗可以等一会儿,看守说。

哈哈!卡米耶说。

为什么你笑得这么开心?梅西埃说。

它们可以等一会儿!卡米耶说。

我让您笑成这样,看守说。

我父亲以前总是对我说,梅西埃说,在和一个陌生人说话之前,不论他境况是多么卑贱,都该把我的烟斗从嘴巴上面拿开。

不论多么卑贱,卡米耶说,这听起来多滑

稽啊。

看守沿着躲雨的地方的台阶走上来,停在门框处。空气一下子阴沉下来,光线变得黯淡发黄。

我想他要攻击我们,卡米耶说。

麻烦交给你了,就像平常那样,梅西埃说。

亲爱的中士,卡米耶说,您到底要我们怎么样呢?

你们看到那辆自行车了吗?看守说。

我什么也没看到,卡米耶说,梅西埃,你看到一辆自行车了吗?

它是你们的吗?看守说。

一件我们没有看到的东西,卡米耶说,只有通过您的陈述它才存在,我们怎么知道它是我们的,还是别人的呢?

为什么它会是我们的呢?梅西埃说,这些狗是我们的吗?不是。我们今天是第一次看到它们。您想说自行车是我们的,如果有那么一辆自行车的话。不过狗不是我们的。

我才不管你们的狗呢,看守说。

然而就像是要拆穿自己的话,他扑到狗的面前,并用脚和拐杖,可以肯定地说是很花了一把劲,将它们驱赶出宝塔。两只狗一直交织在一起,彼此不能分开,这使它们的逃离异常困难。因为它们在奔跑时所用的力气是分别朝相反方向做出的，只能互相抵消。它们应该非常痛苦。

臭畜生，看守说。

他现在不管狗了，梅西埃说。

他把它们从躲雨的地方赶走了，卡米耶说，这毫无疑问，但并没有赶出广场。

雨很快会让它们分开，梅西埃说。它们被爱弄昏了头，可能没有想到分开。

总之，他帮了它们，卡米耶说。

我们对他好一些吧，梅西埃说，这是位大战中的英雄。当我们正热火朝天、开足马力地手淫，也不必担心被人打断的时候，他却正在弗拉芒的泥沼中爬行，在他的军靴里拉屎。

千万别在大庭广众下说这样的话，梅西埃和卡米耶真是老顽童。

有点道理，卡米耶说。

看看这块堆满了装饰的大疙瘩吧，梅西埃说。你不觉得就像大便一样惹人烦吗？

看得不太清楚，卡米耶说，我一直被堵着呢。

那么假设这个所谓的自行车是我们的，梅西埃说，有什么不好呢？

我们直说吧，卡米耶说，它就是我们的。

我给你们五分钟时间拿走它，看守说，过了时间我就叫警察了。

经过几年的躲闪之后，梅西埃说，今天我们终于要出发了，走向一个未知的终点，我们也许无法生还。我们现在只是等着天气转好，然后开始出发。请您试着理解。

这和我无关，看守说。

此外，梅西埃说，我们还有一些事情要调整到位，在还没有太晚以前。

调整到位？卡米耶说。

我就是这样说的，梅西埃说。

我觉得一切都已经调整到位了，卡米耶说。

并不是一切，梅西埃说。

你们拿走还是不拿？看守说。

我们可以出钱买您的恭敬吗？梅西埃说，既然您对讲道理不感兴趣。

当然，看守说。

给他一先令，梅西埃说，不管怎么说这样都不好，我们第一笔钱是花在肮脏的交易上的。

杀人犯，看守说。随后他便消失了。

人们还真是铁板一块啊，梅西埃说。

现在他要在附近转悠了，卡米耶说。

这能拿我们怎么样？梅西埃说。

我不喜欢有人给我转悠，卡米耶说。

你是想说在你旁边转悠，梅西埃说。

我想说给我转悠，卡米耶说。

这个小游戏没有持续多久。

现在应该快到正午了。

现在，该我们了，梅西埃说。

该我们了？卡米耶说。

完全正确，梅西埃说，该我们了，说说严肃的事情。

我们不如吃点儿东西，卡米耶说。

首先把事情调整到位，梅西埃说，然后我们找个吃饭的地方。

随后是长时间的辩论，其间也有几段长时间的静默，在静默中进行着沉思。于是有时候是梅西埃，有时候是卡米耶，会深深陷入沉思之中，以至于当一个人开始重新论证自己的观点时，话音完全无力将另一个人拉回到辩论中，或者说根本就无法让对方听到。此外，他们也会同时得出常常是截然相反的结论，并同时阐述出来。同样，也常常会出现一个人还没说完自己的观点另一个人已经晕头转向的情况。有时候他们会相互看着，无力说出一个词，脑袋里也都一片空白。经过一次次混乱无章的讨论，在某一次讨论之后，他们终于暂时放弃了更加深入的调查研究。下午的时光已经过去大半，雨还一直下着，冬日里短暂的白昼就要到头了。

应该是你带吃的东西吧，梅西埃说。

不对,应该是你,卡米耶说。

的确如此,梅西埃说。

我不饿了,卡米耶说。

饭必须吃,梅西埃说。

我看不出这有什么用,卡米耶说。

我们要走的路既漫长又艰难,梅西埃说。

死得越快,越值得,卡米耶说。

的确如此,梅西埃说。

看守的脑袋出现在门口。有种不太真实的感觉,因为只看得到他的头。

如果你们想在这里过夜的话,他说,要付半克朗。

事情现在调整到位了吗?卡米耶说。

没有,梅西埃说。

将来会?卡米耶说。

我相信是这样,梅西埃说,是的,我相信,虽然不是很确定,但是我相信,总有一天事情都会调整到位,最终会这样的。

这会很让人高兴的,卡米耶说。

希望如此吧,梅西埃说。

他们长时间地对视着。卡米耶暗想,就连他,我也看不到。而他对面那个人的心里也波动着同样的想法。

在这次谈话之后,似乎有两点达成了共识。

1. 梅西埃可以一个人出发,骑着自行车,带上雨衣。他去做必要的先头工作,到达宿营地,将一切准备就绪等待卡米耶,卡米耶等天气许可就立即上路。卡米耶保管雨伞。

2. 可以看到,到现在为止,梅西埃在显示着干劲,卡米耶表现的则是慵懒。换个时候的话,预见的情况也可能相反。对于要走的路,最弱的总会去依赖较弱的。他们也可以同时表现出英勇。这样自然非常好。或者他们也会同时萎靡不振。在这种情况下他们并不会陷入绝望,而是带着一种信任,等待糟糕的时刻过去。尽管这些词有些含糊不清,但还是能听明白,大致不差。

我要挪开眼睛,卡米耶说,再也搞不清想什么了。

好像要雨过天晴了,梅西埃说。

太阳终于还是出来了,卡米耶说,为了让人来欣赏它在地平线上的坠落。

这么长时间的清朗剔透,梅西埃说,色彩缤纷,这样的时刻总会让我有所触动。

繁忙的一天结束了,卡米耶说。东方突然现出一块墨一般的云团,既而覆盖了整个天空。

钟声响了起来,关门的时间到了。

一些模糊晕化的人影,卡米耶说,还在我的印象当中。它们穿梭来去,发出低沉的叫喊声。

的确,梅西埃说,我觉得从今天早上开始,我们一直有人可以见证。

现在呢?只剩下我们了吗?卡米耶说。

我什么人都没看到,梅西埃说。

那我们一起走吧,既然是这个样子,卡米耶说。

他们从避雨的地方出来。

包,梅西埃说。

雨伞,卡米耶说。

雨衣,梅西埃说。

我拿着呢,卡米耶说。

没别的了?梅西埃说。

我没看到有什么别的了,卡米耶说。

我会来拿这些东西的,梅西埃说,你去管那辆自行车吧。

这是一辆女式自行车,很不幸的是它没有飞轮。制动的时候只能朝反方向踩踏板。

看守手里拿着一串钥匙,看着他们远去。梅西埃拿着车把,卡米耶端着车座。

杀人犯,他说。

二

　　玻璃橱窗有的熠熠生辉，有的黯然无光，这全取决于橱窗本身。湿滑的街道上聚集着看起来正朝一个确定目标奔去的匆匆人群。空气中充满着一种愠怒而又慵懒的惬意。闭上眼睛，听不到任何话语，只有无边的脚步起伏声。在这种游牧部落的安静中，他们尽自己所能向前走着。他们走在人行道的外沿，梅西埃在前，手放在车把上面，卡米耶殿后，手放在车座上，而自行车在他们旁边，在沟里滑行。

　　你与其说是在帮我，还不如说是在给我添麻烦，梅西埃说。

　　我不是在尽力帮你，卡米耶说，我是在尽力帮我自己。

　　那么一切都挺好，梅西埃说。

　　我冷，卡米耶说。

　　的确，当时很冷。

　　确实很冷，梅西埃说。

　　我们这样摇摆不定地走，是要走到哪儿

啊？卡米耶说。

我想我们正朝运河走去，梅西埃说。

都已经到这儿了？卡米耶说。

这样我们可能会很开心，梅西埃说，我们走进纤道，然后继续往下走，直到烦恼随后到来。我们无须抬起眼睛，在我们面前，我们那么钟爱的即将消亡的色彩在召唤我们。

你跟你自个儿说去吧，卡米耶说。

河水将同样会在很长时间里显得苍白，梅西埃说，这也容不得掉以轻心。而且，谁知道呢，这也许会使我们产生纵身一跃的想法。

小桥之间的间距越来越远，卡米耶说。探下身子看看闸室我们试着去搞明白。贴着陡峭的河岸，从那些停泊的平底驳船里飘过来水手的声音，他们在向我们说晚安。他们的白天结束了，他们在抽着最后一锅烟斗，准备上床睡觉。

闸室？梅西埃说。

闸室，卡米耶说，闸——室。

人人为自己，梅西埃说，上帝为大家。

城市离我们远去，卡米耶说，夜色慢慢地笼罩了我们，蓝黑色的夜。在纱一样的云彩下，星星若隐若现。月亮要到凌晨四点左右才会升起来。越来越冷了。我们在残留有雨水的水洼中行走。已经没有办法前进。退后同样也不可能。

过了一会儿，他又补充说：

你在想什么呢，梅西埃？

想生存的可怕，模模糊糊的，梅西埃说。

我们去喝一杯？卡米耶说。

我以为我们达成过协议，梅西埃说，除非出现事故或者感到不舒服，否则是不再喝酒的。这不是我们许多协定中的一条吗？

不算喝，卡米耶说，只是来一小杯，很快解决，给我们肚子打打气。

他们在第一家酒吧前停下来。

这里不能放自行车，老板说。

经过思考，这可能只是一个雇员。

他，他把这说成是自行车，卡米耶说。

我们出去吧，梅西埃说。

浑蛋，酒吧服务生说。

现在怎么办？卡米耶说。

要是把它拴在煤气路灯上呢？梅西埃说。

这样就可以摆脱了，不受它动来动去的限制了，卡米耶说。

他们最终决定去一个栅栏旁。这也一样。

现在怎么办？梅西埃说。

我们还回自行车先生的那一家吗？卡米耶说。

永远也不，梅西埃说。

别说永远也不,卡米耶说。

他们于是走进了对面的酒吧。

坐在吧台旁边,他们闲聊着这样那样的事情,断断续续地,按照他们的习惯。他们时而说话,时而沉默,时而听对方说,时而不再去听,每个人都由着自己的性子,保持着自己的节奏。有些时候,整整几分钟,卡米耶都无力把酒杯放到唇边。而梅西埃,他也会同样把持不住。于是情况好一点的那个人会帮情况差一点的那个人喂酒,把他酒杯的杯口塞进他的双唇之间。一些影影绰绰、仿佛长毛绒玩具一样的身影紧紧贴在他们周围,随着时间的流逝越发密集。在这次交谈中,终究还是有所得,内容如下。

1. 目前来说,走得太远是无益的甚至冒失的。

2. 他们只能求助埃莱娜,去她那里投宿过夜。

3. 什么也无法阻止他们第二天上路,一大早,无论天气如何。

4. 他们彼此之间没有怨言。

5. 他们所寻找的东西存在吗?

6. 他们寻找什么?

7. 什么也不着急。

8. 在头脑得到休息之后,需要重新考量

他们关于这次远行的所有评价。

9. 只有一件事情重要：出发。

10. 此外就是狗屎。

回到大街上，他们彼此挽着胳膊。走了几百米之后，梅西埃提醒卡米耶他们的脚步迈得很不对劲。

你有你的节奏，卡米耶说，我有我的。

我不是在指责我们，梅西埃说，但是这样太累人了。是一颠一颠地往前走。

我宁愿，卡米耶说，你直截了当地要求我，直言不讳地，让我放开你的胳膊走得远点，或者让我迁就你摇摇晃晃的走法。

卡米耶，卡米耶，梅西埃抓着他的胳膊说。

来到一个十字路口时，他们停了下来。

现在我们该往哪儿拐？卡米耶说。

我们的位置很奇怪，梅西埃说，我是说以埃莱娜家为参照，如果我方向认准了的话。因为你看到的这里每一条道路，它们都能到那儿，同样的简单与安逸。

那么往回走吧，卡米耶说。

那样显然就离得远了，梅西埃说。

可我们不能整夜都杵在这里，卡米耶说，就像两个蠢货一样。

把我们的雨伞扔上天去，梅西埃说，雨伞

会以某种方式落下来,根据一些我们不了解的法则。我们只要朝它指示的方向前进就行了。

雨伞做出了回应,左边。它就像一只受了伤的大鸟,一只刚刚被猎人击中的不幸的大鸟,喘息着等待致命的一击。两者之间具有惊人的相似之处。卡米耶拾起雨伞,挂在他的衣兜上。

它没断,我希望,梅西埃说。

在这一刻,一个奇怪的人引起了他们的注意,这是一位只穿着件燕尾服并戴着大礼帽的先生,尽管天气已凉。此时此刻,他似乎跟他们走着同一条路,因为他们可以看到他的背。他的手以一种刻意的怪诞方式抬起衣服上的燕尾,并向两侧拉开。他很小心地走着,两腿僵硬并且叉得很开。

你想唱歌吗?卡米耶说。

我不想,梅西埃说。

又重新开始下雨了。可是雨曾经停过吗?

快一点儿,卡米耶说。

为什么你问我这个?梅西埃说。

卡米耶似乎并不急于回答。最后他说:

我听到了歌声。

他们停下来,为了更好地聆听。

我什么也没听见,梅西埃说。

可你的听觉还是不错的,我想,卡米

耶说。

是挺不错的，梅西埃说。

奇怪，卡米耶说。

你一直听得到？梅西埃说。

似乎是大合唱，卡米耶说。

可能是幻听吧，梅西埃说。

也许，卡米耶说。

我们还是跑吧，梅西埃说。

他们跑了很长一会儿，穿过黑暗、潮湿、无人的大街。等他们停下来不跑的时候，卡米耶说：

我们会以一种很不错的模样到达埃莱娜的家，连骨头都湿了。

我们立即脱衣服，卡米耶说，我们把衣服烘干，放在火前面烘，或者放到内衣柜里，那里面有热水管。

其实，梅西埃说，为什么我们不用我们的雨伞呢？

卡米耶看着雨伞，现在他正拿在手上。他拿在手里是为了跑起来更方便。

本来是可以的，他说。

受累于一把雨伞有什么意义，梅西埃说，如果没有及时打开它的话？

我同意你的看法，卡米耶说。

打开它，以上帝的名义，梅西埃说。

但是卡米耶不能打开它。

我打不开,他说。

给我,梅西埃说。

但是梅西埃也打不开。

在这一刻,雨,这个世间险恶的友善代表,变成了真正的滂沱大雨。

它卡住了,卡米耶说,千万别硬来。

脏货,梅西埃说。

说我呢?卡米耶说。

说雨伞,梅西埃说。他举起它,用两只手,高高地举过头顶,然后用力地把它扔到地上。滚它的蛋,走吧,他说。他朝天空抬起一张痉挛而淌着雨水的脸庞,同时举起紧握的拳头,说道,对于你嘛,我要操你。

梅西埃的痛苦,从早上开始一直被英勇地抑制着,此刻终于完全释放开来,这一点毫无疑问。

你是朝我们小小的全权之主说这样的话?卡米耶说,你错了。是他反过来操你呢。他是不能操的。全权之主,没法儿操的。

我请你不要把梅西埃太太的名字放到这个讨论中来,梅西埃说。

真是胡言乱语,卡米耶说。

这个地方的泥坑又深了一些,梅西埃说,跟今天早上之前我在这儿滚过的相比。

在埃莱娜家他们很快看到了地毯。

给我看看这块地毯,卡米耶说。

梅西埃看着。

真是块好心的地毯,他说。

没听说过,卡米耶说。

可能你第一次见到,梅西埃说,你还是足够在上面摊开四肢躺下来的。

我是第一次看到,卡米耶说,我永远不会忘的。

可能吧,梅西埃说。

如果说他们特别关注到这块地毯的话,这天晚上,他们看到的不仅仅只有它。因为他们还看到了南美大鹦鹉。它的支架系在天花板的一角,摇摆和转动的惯性使之不停晃动,而它在支架上维持着一种不安的平衡。尽管天气已晚,它并无睡意。它的胸膛微弱地起伏着,带着一种透不过气时的心悸。每一次呼吸时,它的羽毛中都显露出一种难于察觉的搐动。它的嘴时而会张开,并在几秒钟内保持不动。就像是一条鱼。于是可以看到它那黑色的纺锤形的舌头在不断蠕动。它的双眼则因为灯光而略有些游离,眼中充满着焦虑和一种难以描述的失神落魄,似乎被人窥伺。它羽毛上带着些惶惶不安的褶皱,而羽毛本身却讽刺般地光鲜明亮。在它的下方,在地毯上面,摊着一张打开的大报纸。

这是我的床，这是沙发，埃莱娜说。

你们看着办吧，梅西埃说，我不想和任何人一起睡。

一盏可爱的小灯，用不着点太久，卡米耶说，我非常需要这个，没别的了。

没了，没有可爱的小灯了，埃莱娜说。

我睡在地上，梅西埃说，我要等待黎明。在我睁着的眼睛前，闪现着一幕幕场景和一张张面孔。雨落在玻璃窗户上，发出鞭打的声音，夜向我描绘着它的色彩。我会有从窗户纵身跃下的念头，不过我会控制住这个想法。他以一种怒吼的声调重复道，我会控制住的！

又走到了街上，他们互相询问他们把自行车怎么着了。包也同样不见了。

你看到鹦鹉了吗？梅西埃说。

很漂亮，卡米耶说。

它晚上在哀号，梅西埃说。我原先不知道鹦鹉也会哀号，但是它哀号了，甚至可以说频率相当高。

也许是只老鼠，卡米耶说。

我会在我死的那一天看到它，梅西埃说。

我原本不知道她有只鹦鹉，卡米耶说。不过主要是地毯让我吃了一惊。

我原本也不知道，梅西埃说，她说她都养

了好几年。

她显然是在说谎,卡米耶说。

雨一直下着。他们来到一个能通行车辆的大拱门下栖身,不知道要去向何方。

究竟是什么时候你发现我们的包不见了?梅西埃说。

今天早上,卡米耶说,要吞几片磺胺药片的时候。

这些细节我不感兴趣。梅西埃说。

你记得昨天晚上的事情吗?卡米耶说。

我记得,大致上想得起来,梅西埃说,不过我们当时是在一个我不太熟的街区。

你今天感觉怎么样?卡米耶说。

我感到有些虚弱,但是意志坚定,梅西埃说,你呢?

应该说比昨天好一点,卡米耶说。

我没有看到雨伞,梅西埃说。

卡米耶仔细看着自己,低下头,张开双臂,仿佛说的是粒纽扣。

我们该是把它忘在埃莱娜家里了,他说。

我感到,梅西埃说,如果我们今天不离开这座城市,我们就永远不会离开。所以我们该好好想想,在我们去追究这些东西之前。

包里到底有什么?卡米耶说。

一些洗漱用品,梅西埃说。

无用的奢侈品,卡米耶说。

几双袜子和一条短衬裤,梅西埃说。

你瞧瞧,卡米耶说。

还有些吃的东西,梅西埃说。

正好扔掉,卡米耶说。

除非找回它们,梅西埃说。

我们坐第一班开往南方的快车吧!卡米耶叫道。他又补充道,这样我们不会第一站的时候就受不了要下车。

为什么是开往南方的,梅西埃说,而不是北方,或者东方,抑或西方?

我更喜欢南方,卡米耶说。

这是理由吗?梅西埃说。

这是最近的火车站,卡米耶说。

我倒没有想到这个,梅西埃说。他出来走到街上望着天。从他站的地方来看,天色灰暗,天空低沉。

天上到处都飘着雨,就像撒尿一样,他回到拱门下说,我们没了雨伞,会被浇成落汤鸭的。

你是想说落汤鸡,卡米耶说。

我想说落汤鸭,梅西埃说。

就算有了雨伞,卡米耶说,可能也没法用。它坏了。

你跟我乱说些什么呢?梅西埃说。

昨天晚上我们把它弄坏了,卡米耶说,同时和他交换着意见。那是你出的主意。

梅西埃双手抱住头。当时的场景慢慢浮现起来。他重新站直了身体,毅然决然。

走吧,他说,不必有什么无用的遗憾了。

我们轮流穿雨衣,卡米耶说。

我们将乘坐火车,梅西埃说,向南方疾驰的火车。

透过湿漉漉的玻璃,卡米耶说,我们试图去数牛。它们在篱笆不完美的庇护下,可怜地打着寒战。一些乌鸦在天上飞,全身淋湿,羽毛不整。不过渐渐地天气转好。在一个冬日美好下午的灿烂阳光里,我们下车了。我们觉得自己是在摩纳哥。

我想起来我什么也没吃过,整整二十四个小时以来,梅西埃说。

我喝了碗洋葱汤,在早上四点钟左右,卡米耶说。你当时应该听到我发出的声响了。

可我不饿,梅西埃说。

必须吃东西,卡米耶说,不然的话胃会摊开变得扁平,就像个假性囊肿。

说到底,你的囊肿怎么样了?梅西埃说。

它是慢性的,卡米耶说。但是在慢性的表面下,酝酿着灾难。

那你想怎么办呢,现在?梅西埃说。

我不敢想这个，卡米耶说。

我想吃块奶油蛋糕，梅西埃说。我吃不下，但是我会吃的。

加草莓的，卡米耶说。

梅西埃思考着。

加李子的更好，他说。

我去帮你找找看，卡米耶说。在这儿等我。

别，别！梅西埃叫道，别离开我，我们别分开！

安静点，卡米耶说。现在雨衣在我这儿。所以应该我去。两分钟就好。他出来走到大街上，开始过马路。

卡米耶！梅西埃叫道。

卡米耶转过头。

一块小杏仁饼！梅西埃叫道。

什么？卡米耶叫道。

一块小杏仁饼！梅西埃叫道。

卡米耶飞奔回拱门下面。

你想让我被车轧死，他说，你想要什么？

一块小杏仁饼，梅西埃说。

一块小杏仁饼，一块小杏仁饼，卡米耶说，一块小杏仁饼，是什么啊？

梅西埃告诉了他。

加奶油的，卡米耶说。

当然，加奶油的！梅西埃叫道，去吧，

走吧。

卡米耶没有动。

你还在等什么啊?梅西埃说。

我刚才在考虑,卡米耶说,我在想,卡米耶,我们究竟应该,还是不应该闹翻呢?

你换个地方考虑去吧,梅西埃说。

处在我的位置上,换其他任何人都会生气的,卡米耶说,不过我不会,在将一切考虑到之后。因为我对自己说,现在是严峻的时刻,梅西埃不舒服。他走近梅西埃,后者敏捷地向后退开。我只是想拥抱你一下,卡米耶说,下一回我再拥抱吧,等你好一点儿,如果我想的话。他出来走进雨中,随后消失。

独自一人,梅西埃开始踱来踱去,在拱门下,沉浸于苦涩的思索中。从前天晚上以来,这是他们第一次分开。他突然抬起眼睛,仿佛是为了躲开一个变得难于承受的幻象,此时他看到了两个孩子,一个小男孩和一个小女孩,他们正看着他。两个孩子每人穿着一件从各方面看都完全一样的带风帽的黑色油布雨衣,男孩背着个小背包。他们手牵着手。

爸爸,他们几乎异口同声地说道。

晚安,我的孩子们,梅西埃说,现在你们可以走开了。

但他们并没有走。牵在一起的手摆来摆

去，像只小秋千似的轻轻晃动。最后小姑娘把手拿开，朝那个被他们视为爸爸的人走来。她向他张开双臂，仿佛是想让他吻她一下，或者至少是亲抚一下。男孩跟着她走了过来，神态明显有些不安。梅西埃抬起脚，重重地跺着路面，发出声响。你们走开！他叫道。他朝他们走去，打着手势，扮着鬼脸。孩子们一直向后退到人行道上，重新停下来不动。给我滚！梅西埃吼道。他愤怒地向前跳了一步，孩子们逃开了。梅西埃出来投入雨中，看着他们跑远。但是很快他们又停了下来并往回看着。当时他们看到的场景应该令他们感到惊恐，因为他们又逃开了，消失在拐角的第一条街里。至于不幸的梅西埃，经过几分钟狂怒状态下的监视后，他判断威胁已经解除，于是全身湿透地回到了拱门下，重新开始自己的思考，一直到思绪中断，如果说不是中断，也至少是近似于中断。梅西埃的思考有一种特别之处，思绪仿佛是从一片浪花上开始四处跳跃，然后一成不变地打在同一块礁石上，在某个它愿意投身而入的地方。这与其说是思考，不如说是一种纷乱而阴郁的遐想，过去和未来在这里以一种并不愉快的方式交织起来，而现在扮演的是一种永远被淹没的无辜角色。告一段落。

来了，卡米耶说，希望没让你担心。

梅西埃拆开纸，拿出蛋糕放在掌心。他将鼻子贴上去，而他的眼睛也紧紧地凑上前。他并没有站起身来，就这样看着卡米耶，暗暗地瞥视着，眼神中充满了狐疑。

这是块婆婆蛋糕，卡米耶说，我只能找到这样的了。

梅西埃一直蹲着，他将身体挪到门洞里面，这样可以看得更清楚，他重新审视起蛋糕来。

全是朗姆酒，卡米耶说。

梅西埃慢慢合起手掌，蛋糕从他指缝中溢了出来。他瞪大的双眼里充满着泪水。卡米耶走上前以便看得更加清楚。眼泪不断流淌着，刚涌出来的泪水将前面的冲开，然后沿着整个脸颊而下，消失到胡须里面。脸依然保持着平静。泪水一直在泛滥，视线可能已经模糊，但眼睛似乎在认真地注视着一个正移动到地面上的东西。

要是你不想要的话，卡米耶说，你只需要把它扔给狗吃或者给个小孩。

我在哭，梅西埃说，别打扰我。

当梅西埃最终停止哭泣时，卡米耶说：

拿着我们的手帕。

有些日子，梅西埃说，每时每刻都会有人出生。于是到处都有讨厌的小梅西埃。这真可怕。永远都不会死。

够了，卡米耶说。你像个大号的猪头。别人还以为你已经九十岁了。

这会算得上是个好礼物，梅西埃说。他在裤腿上擦了擦手。我感到我要在地上爬行，他说。

我走了，卡米耶说。

你抛下我吧，梅西埃说，我原本就知道会的。

你了解我的个性，卡米耶说。

不，梅西埃说，但我需要你的温情来帮助我消除痛苦。

我可以帮助你，但我没法让你重新振作，卡米耶说。

牵着我的手，梅西埃说，带我远离这里。我会乖乖地在你旁边碎步小跑，就像一条小狗，或者一个年幼的孩子。那一天会来到……

一道可怕的刹车声撕裂了空气，紧接着传来一声狂号和一阵猛烈的撞击声。梅西埃和卡米耶飞奔出去（经过短暂犹豫之后），随后他们看到了——在人群聚集起来之前——一个胖女人，似乎已经上了点年纪，慢慢地在地上扭动着。她衣衫褴褛，浅白色的内衣也露在了外面，内衣上卷着无数褶皱，密度惊人。她的血从一处或者几处伤口中涌出，已经流到了沟里面。

啊,梅西埃说,这正是我原本所需要的。我觉得自己已经恢复了活力。他的确像换了副模样。

希望这可以让我们引以为鉴,卡米耶说。

换句话说?梅西埃说。

就是永远不要失望,卡米耶说,让我们对生活充满信心。

好极了,梅西埃说,在我原来还担心理解错了你的话。

在半路上他们看到一辆救护车向事故现场冲去。

有趣吗?卡米耶说。

一种羞耻,梅西埃说。

我不这么看,卡米耶说。

是一辆 V8 车子,梅西埃说。

那怎么样?卡米耶说。

据说是汽油不够了,梅西埃说。

可能有好几个人伤亡,卡米耶说。

可能是个他们无能为力的婴儿,梅西埃说。

雨绵绵地下着,就像是从喷壶上一个很细的莲蓬头里洒出来一样。梅西埃仰着头走着。时而他会用那只闲着的手擦把脸。他已经有一段时间没洗澡了。

三

前两章内容的小结

1

开篇。
梅西埃和卡米耶的艰难相逢。
圣鲁特广场。
紫红色的山毛榉。
雨。
躲雨的地方。
狗。
卡米耶的疲惫。
看守。
自行车。
和看守的争论。
梅西埃和卡米耶交谈。
这次交谈的结果。
暮色下天空放晴。
钟。
梅西埃和卡米耶离开。

2

傍晚的城市。
梅西埃和卡米耶向运河走去。
运河产生的联想。
一个酒吧服务生的愤怒。
第一家酒吧。
梅西埃和卡米耶交谈。
这次交谈的结果。
梅西埃和卡米耶走向埃莱娜的家。
道路产生的疑惑。
雨伞。
穿燕尾服的男子。
雨。
卡米耶听到有人唱歌。
梅西埃和卡米耶奔跑。
雨伞。
滂沱大雨。
梅西埃的痛苦。
在埃莱娜家。
地毯。
南美大鹦鹉。
第二天。
雨。

包、自行车和雨伞的消失。
梅西埃和卡米耶交谈。
这次交谈的结果。
卡米耶离开。
梅西埃的痛苦。
梅西埃和孩子们。
梅西埃的思考。
卡米耶回来。
蛋糕。
梅西埃的脆弱。
事故。
梅西埃和卡米耶出发。
雨打在梅西埃的脸上。

四

我是独子,但愿是这样,我生在 P 城。我的父母是 Q 地人。从他们身上,除了梅毒的苍白螺旋体,我还继承了一个大鼻子,你们可以看到它残留的模样。他们对我很严厉,但也公正。我稍有些行为不端,父亲就会打我,用他那坚硬的磨剃刀的皮带,一直打到出血。不过他每次都会告诉妈妈,好让她用碘酒或者高锰酸钾给我消毒包扎。也许是出于这个原因,我的性格有些故弄玄虚,而且喜欢自我封闭。我不太适应脑力上的训练,十三岁我就退了学,为附近的农场主做事。按照他们的说法,老天不愿意他们子女兴旺,他们不得已选择了我,带着一种很自然的无情。我的父母死于一场天意安排的铁路事故,在父母去世后,我被他们收养,办理了法律上需要的各种手续。但是,我不论是身体还是头脑都有些低能,我一次次给他们带来失望。赶马车,摆弄镰刀,在甜菜地里走来走去,这些工作超出了我的体力，只要有人稍微强迫我去干，我就会毫不夸张地当场倒下。甚至去放山羊，放绵羊，放牛，我也只能白费力气，我没办法让人满意。因为我一不留神，这些畜生就会到处乱跑，跑到别人的地里，乱啃瓜果、蔬菜。再说，这些公牛、公山羊和公绵羊之间还会打架，这时我会非常恐惧，我只得拔腿就跑，找个谷仓藏身。此外，超过十的数字我就数不清了，所以牧群几乎从来不能全数回家，我自然也免不了被人责怪。我唯一可以夸耀的事情，虽然不敢说做得多出色，但至少是成功的，就是屠宰小山羊、小绵羊和小牛以及阉割公牛、公山羊和公绵羊，不过它们必须温驯听话。于是从十五岁起，我将自己定位在这个专长里。我家里现在还有些可爱的小玩意，总之相对来说比较小，那是公羊的生殖器，它们都来自这段幸福的时光。在禽棚里，我也同样可以用非常灵巧而精细的方式来施威。我有一种独家的、让鹅窒息的手法，令人叹服。哦，我知道你们是一只耳朵进一只耳朵出，甚至有些恼火，不过我无所谓。因为我已经老了，我所剩下的唯一乐趣，就是声音洪亮地用我痛恨的优雅方式，来回忆那些并非不能重历的美好时光。在我二十岁的时候，或者可能就十九岁吧，因为不小心搞大了一个挤奶女工的肚子，我在夜色的掩护下逃走了,因为有人在很近的地方监视着我。我利用这次机会放火烧了些谷仓、粮仓和畜舍。但是火刚刚烧起来,就被一场无人料及的大雨浇灭了,在行凶的那一刻,老天表现得是多么纯洁啊。雨,是这个不幸的国家的祸根。五十年前,也可以说五百年前。他挥舞着他的拐杖,用力地敲打着长椅,一层细微而转瞬即逝的灰尘飞扬开来。五百年,他大声叫骂道。

火车放慢了速度。梅西埃和卡米耶对视着。火车停了下来。

很不走运,梅西埃说,我们坐的是辆慢车。

这可能是一种运气呢,卡米耶说。

您说这是种运气,老人说。

火车重新开动。

我们本来可以下车的,卡米耶说,但现在太晚了。

你们和我一起下车,下一站,老人说。

这改变了一切,梅西埃说。

肉店的学徒,老人说,香料店的学徒,牲口贩子的伙计,装殓、埋葬死人,管理教堂的圣器室,我干过的这些活儿,都是在尸体堆里,这就是我的生活。我活了下来,并且不断地说话,每一天我都说得更多一些,每一天我都说得更好一些。应该说我还是像我的长辈的，我父亲是个乡村神父的种，可以猜想他当时出世的时候是多么着急啊，每个人都知道的。人们看到我只出没在郊区下等的咖啡馆和妓院。朋友们，我不会写字，我就对他们说，朋友们，荷马告诉我们，在《伊利亚特》的第三歌，在第八十五行和随后的几行中他提到，地上的幸福是什么啊，就是说幸福。哦，我不会宽恕他们的。我对他们说，*Potopompos scroton*，乌拉。你们看，我还是上过一些课的。他发出一阵刺耳而粗犷的笑声，这些课是向那些渴望有小夜灯的穷人免费开设的。*Potopompos scroton*，意思是温和地勃起，再拼命地喝酒。从这里出去，我对他们说，夹着尾巴抬着头，明天再来。资产阶级，毁灭它，让它自己去摆脱困境。有几次我被人打过。我全身是血，衣服被扯烂。孩子，我对他们说，那是爱情的糟粕。上帝也一样，他也被痛骂。不过到最后人们都会习惯的。我穿着盛装参加婚礼、葬礼、舞会、夜谈和洗礼的仪式。我总是受人欢迎。可以说人们是喜欢我的。我以最生动的语言和他们谈天，谈论处女膜，凡士林，厄运的开始，烦恼的终结。总是在尸体堆里，这就是我的生活。直到有一天我有了片农场。怎么说呢，一片农场，几片农场，因为我有两片。他们一直喜欢我,那些穷人。事情很巧,因为我的大鼻子开始变小了。当您的大鼻子开始变小,人们就不那么喜欢您了。快到站了。

梅西埃和卡米耶收回他们的腿,让他通过。

你们不下车?老人说,你们是对的。只有该死的人才在这里下车。

他脚上套着鞋套,头上戴着一顶黄色的圆顶礼帽,身上穿着一件垂到膝盖的礼服。他身体僵硬地走下车来到站台,转身拍打着车门,抬起鹰隼一样的脸庞面向他们。

我,你们看,他说,我选择我的车厢,我等着火车发动,然后我上车。别人以为找了个安静的地方,躲开了惹麻烦的人,但是对不起。因为老马登来了,在最后一刻。火车的速度很快,人们只能和它封闭在一起,什么事也做不了。

火车重新开动了。

再见再见,马登先生叫道,他们一直喜欢我,他们喜欢我……

梅西埃背朝着过道看着他,他在涌向出口的人群中神情漠然,头耷拉在双手上,而双手拄在拐杖上。

对天空描述得太多,眼睛也常常仰望天空,眼神从一些心甘情愿的物象上移开,投身到这块透明的荒漠，为了所谓的休息，这是事实。双眼是多么乐于在人影中重新搜寻，在存在的事物中迷乱。这就是我们的处境。

一切，梅西埃说，这改变了一切。

卡米耶用衣袖的背面擦了擦窗户，他的手指正弯曲着按在窗户的边沿。

地地道道的灾难，梅西埃说，我被……他思考着。我被击倒了，他说。

什么也看不到，卡米耶说。

你很奇怪地保持着平静，梅西埃说，你是不是趁我情绪不好，故意搭上这辆可恶的破车，而不去乘快车？

我应该向你介绍，卡米耶说。卡米耶总是把"解释"说成"介绍"。差不多总这么说。

我不是问你要什么解释，梅西埃说，我是要你用是或者否来回答我的问题。

现在既不是过河拆桥的时候，卡米耶说，也不必风雨兼程地向前赶。

这算是承认了，梅西埃说，我原本就知道，我被骗了，被可耻地骗了。我现在不急着从车门那儿跳下去，是因为我并不成心想把踝关节扭伤。

我会向你介绍一切的，卡米耶说。

你不会解释任何东西，梅西埃说，你利用了我的脆弱，让我以为我登上的是辆快车，可是……他的脸扭曲变形了。梅西埃的脸可以很轻易地以各种方式扭曲变形。我已经找不出语言,他说,来表达我的感受。

这正是你脆弱时的状态,卡米耶说,它启发我耍了这一招。

解释清楚,梅西埃说。

考虑到你的情况,卡米耶说,必须出而不发。

你太粗鲁了,梅西埃说。

我们将在下一站下车,卡米耶说,我们吃点东西,再达成下一步的协议。如果我们决定向前走,那我们就向前走。这样我们将失去两个小时。两个小时,意味着什么?

我不知道,梅西埃说。

如果,相反,卡米耶说,我们认为最好回到城市……

城市?梅西埃说。

城市,卡米耶说,那我们就回到城市。我们这样可以选择快捷而舒适的交通工具,我当然是说有轨电车、公共汽车,还有铁路。

但是我们是从城市来到这儿的,梅西埃说,你现在却说回去。

当我们离开了城市,卡米耶说,就必须离开城市。我们于是离开了,有着充分的理由。但是我们不是孩子。如果有必要掉转方向,我们被往回推，我们也不必挣扎，我希望如此。

我感觉到的唯一的必要，梅西埃说，就是尽可能快地远离这个地狱。

这就是需要审视的，卡米耶说。那股吹拂起你面纱的风，永远不要相信它，它总是过期失效的。

梅西埃克制住自己。

最后还有这样的一种可能，卡米耶说，因为必须预见到一切，我们做出了英勇的决定，在原地留下来。如果是这种情况，我有我们所需要的东西。

这个村庄就是一条街，不过是条长街，这里一切都整齐地排列着，住宅，商店，酒吧，两个教堂，火车站，加油站，公墓，等等。就像一条海峡。

穿上雨衣，卡米耶说。

呵呵，我又不娇弱，梅西埃说。

他们走进小旅馆。

你们搞错了，一个男人说，这里是克拉普父子公司，批发运送水果和蔬菜。

你凭什么觉得，卡米耶说，我们和老克拉普先生没关系，或者和这里某一个垃圾没关系呢？

他们重新走到大街上。

这里是小旅馆，卡米耶说，还是鱼市场？

这一次男人闪到了一边,身体却不断扭动。

过来先生们,进来先生们,他说,这里不是四方酒店,不过这里……怎么说呢?他迅速而狡黠地打量了他们一眼。怎么说呢?他说。

说出来吧,卡米耶说,别让我们等急了。

这里很……cosy[①]。男人说,对了,很cosy。你们会看到的。帕特里斯!他叫道。他又用一种低沉得近似于试探的语调补充道,这里很……gemütlich[②]。

他把我们当成观光客了,梅西埃说。

啊,男人一边搓手一边说,因为对于相貌特征,我是很在行的。并非每天我都能有幸……他犹豫着。我是多么荣幸啊,他说,帕特里斯!

就我而言,梅西埃说,我很高兴认识您,仅此而已。长久以来您的身影在纠缠我。

啊,男人说。

的确是这样,梅西埃说,您一般是在一个门槛上,或者在窗户旁边。您身后是一片光芒和喜悦,它们一般会把您的容貌削减到虚无的状态。不过这不值一提。您笑着。您应该没看到我,因为我是在小巷的另一边,笼罩在深沉

---

① 英文,意为舒适、安逸。
② 德文,意为舒适、惬意、安逸。

的阴暗之中。我也笑了,我走我的路。您叫加尔。在我的梦里,您看到我了吗,加尔先生?

你们自己处理吧,男人说。

无论如何我很高兴再见到您,梅西埃说,在这样好的条件下。

我们处理什么?卡米耶说。

我是说,你们的外套,男人说,你们的帽子,我怎么知道。帕特里斯!

可是您瞧瞧我们,卡米耶说,我们真像戴着帽子的样子吗?我们戴着手套吗,或者连我们自己也不知道?让我们瞧一瞧。

您还等什么啊,怎么不让人把我们的行李拿上去?梅西埃说。

帕特里斯!男人喊道。

报复!报复!梅西埃说。他走到男人身边。您没看到吗?他说,我全身的破衣服都浸满了汗水。给我们点吃的。

今天是个赶集的日子。大厅里全是农民、牲口贩子和闲杂人员。至于畜生,它们已经走远,随着放牛人的吆喝,它们在四周泥泞的道路上接踵而行。有一些是走向回家的路,另一些则朝它们自己也不知道的方向而去。在那些毛皮湿漉漉的母羊后面,晃晃悠悠地行驶着一辆辆带着栅栏的马车。放牛的人把戳牛的刺棒放在衣袋里,他们透过衣服握着刺棒。

梅西埃把臂肘支在吧台上。相反,卡米耶背靠在上面。

他们戴着帽子吃饭,他说。

他在哪儿,现在?梅西埃说。

他在门旁边,卡米耶说,正监视着我们,却不流露出来。

能看到他的牙齿吗?梅西埃说。

他拿手捂着嘴,卡米耶说。

我不是问他有没有拿手捂着嘴,梅西埃说,我是问能不能看到他的牙齿。

从这里看不到他的牙齿,卡米耶说,因为他的手正捂着呢。

我们在这儿干什么?梅西埃说。

我们首先要吃饭,卡米耶说,服务生,你们今天有什么好吃的?

吧台服务生推荐了很多好东西。他一一说明。梅西埃根本不听。

我想要海胆沙拉,梅西埃说,再加上布格雷酱。

没听说过,吧台服务生说。

那给我一块加普鲁特尔的三明治,梅西埃说。

卖完了,吧台的服务生说。他此前被告知不要让他们不快。

别太无礼了,梅西埃说。他转向卡米耶。

这算什么，这种低级小饭店？他说。我们的旅行就是这样的？

确实，在这一刻，梅西埃和卡米耶的旅行似乎受到了严重的影响。如果说它没有因此突然中止的话，那可能是因为卡米耶，他的主动精神和伟大心灵被人们低估了。

梅西埃，他说，趴在我身上休息会儿吧。

你表个态啊，表个态啊，梅西埃说，为什么总是要我上前呢？

去叫您的老板，卡米耶说。

吧台服务生的态度似乎并不坚决。

去叫他，梅西埃说，去叫他，我的朋友，因为我们请您这样做。在无数的声响中，发出些他熟悉的小声音，让他听到风暴的最强音。或者用脑袋做出一个只有他能感受到的小动作，看到这种动作，即使大自然的所有灾难同时爆发，也挡不住他过来。

但是那个被梅西埃称为加尔先生的人已经在他们旁边了。

我能有幸和店主说话吗？卡米耶说。

我是经理，经理说，既然说的是经理。

似乎这里没有普鲁特尔了，梅西埃说。作为一位经理，您的经营方式很奇怪。您把您的牙齿怎么着了？您就把这称作 gemütlich？

经理似乎在思索着。他不喜欢丑闻。灰白

下垂的小胡子似乎想从两端连到一起。吧台服务生看着他。梅西埃被那稀少灰白的头发震动,这些头发就像是婴儿的胎发,以一种令人怜悯的优雅方式,从枕骨开始梳理到前面。他之前从来没有见过加尔先生这副模样,他应该是身体笔挺,笑容满面,容光焕发的。

好了,好了,梅西埃说,别再提这些了。说到底,这种不足是完全可以谅解的。

你们有没有一个房间,卡米耶说,给我的朋友休息一小会儿。他累得要命。他伏在经理身旁,在他耳边说了些话。

他母亲?经理说。

我母亲?梅西埃说,她过世了,但在我心中永存,占着很重要的位置。她不敢面对面地看着我。这与你何干?他对卡米耶说。你从来就不肯让我的家人安静些?

我当然有房间,经理说,只是……

让我的朋友可以休息一小会儿,卡米耶说,他再也站不住了。

来吧,噩梦中的老朋友,梅西埃说,这个你不能拒绝我。

当然要算一天的价钱,经理说。

在高层,越高越好,梅西埃说,这样在必要的时候,我可以从窗户跳下去,而不会感到害怕。

您和他在一起吗？经理说。

当然，卡米耶说，您让人给我们带一些小点心。此外有可能我们在这儿过夜。

不太可能，梅西埃说。

帕特里斯！经理叫道，帕特里斯去哪儿了？他朝吧台服务生说。

他生病了，吧台服务生说。

怎么，生病了？经理说，我昨天晚上还看到他的。甚至刚才好像还看到他了。

他生病了，吧台服务生说，甚至据说他要死了。

这多烦人啊，经理说，他哪儿不舒服？

我不知道，吧台服务生说。

为什么没人告诉我？经理说。

可能是以为您知道呢，吧台服务生说。

那么是谁说情况很严重的？经理说。

是传闻，吧台服务生说。

那他现在在哪儿？经理说，在他家还是……

别拿您的帕特里斯烦人了，让我们安静点，梅西埃说，您这是想烦死我啊？

你带这两位先生上楼，经理说，你拿上他们的行李，快点回来。

五楼？吧台服务生说。

或者七楼，经理说，看这两位先生的

意思。

他看着他们走远。他倒了点酒,一口气喝干。

嗨,您好,格拉夫先生。他说,我能为您效劳吗?

两只怪鸟,格拉夫先生说。

这没什么,经理说,我习惯了。

您是在哪儿习惯的?格拉夫先生以他初任主教的身份,操着低沉厚重的语调说道,我想,不是在我们那儿吧?

我在哪儿习惯的?经理说。他闭上眼睛,为了更好地看清那些无论如何依然残留在心中的蛛丝马迹。在我的主子们那里,他说。

我很高兴听您这样说,格拉夫先生说,祝您日安。

再见,格拉夫先生,经理说。

他慵懒的眼神扫视着大厅,这里可敬的乡巴佬们已经开始行动。格拉夫先生发出了出发的信号,他们急切地仿效着这个重量级的典范。

好了,加斯特先生,吧台服务生说。

加斯特先生没有立即回答,他人虽然还完全处在周围的场景中,但在他睁开的双眼前,这幕场景慢慢模糊,一个中世纪风味的灰色小广场不断变得清晰,广场上有些全身裹得严严实实的人影,他们默不作声,艰难地迈着大步,穿过厚厚的积雪。

他们要了两个房间,吧台服务生说。

加斯特先生转过身。

他们要了瓶威士忌,吧台服务生说。

没吃什么?加斯特先生说。

没有,吧台服务生说。

他们付钱了吗?加斯特先生说。

是的,吧台服务生说。

我只关心这个,加斯特先生说。

他们尽对我说些毫无意义的话,吧台服务生说,特别是那个蓄着胡子的高个子。矮胖子还行。

你别管这些,加斯特先生说。

他走到门口站好,与他的客人们说着最后的客套话,他们马上就要出发,成群结队,这点毫无疑问。他们大部分人坐进了老式的、高高的福特车。有些人散到村子各处,去淘一些便宜货。另一些人则开始分成小组,冒着雨谈天,他们仿佛对此一点也不在乎。谁知道呢,出于某些技术原因,他们也许非常乐于看着雨落下来,乐于看着雨打在身上,淋湿他们的衣服。对这些人你永远也无法弄明白。很快他们就走远了,在不同的路上分道扬镳,微弱的光线使道路在视野中变得极度模糊。每个人都匆忙地赶着回到自己的小王国，走向等候他的女人，走向他那些暖洋洋的牲口，走向他那些窥伺着主人意图的狗。

加斯特先生回到大厅里。

你照应他们了吗？他说。

是的，吧台服务生说。

他们什么也没有说？加斯特先生说。

只说了让他们安静，吧台服务生说，因为他们什么都不需要了。

帕特里斯在哪儿？加斯特先生说，在家还是在医院？

我想他是在他家里，吧台服务生说，但是我不能确定。

你看上去知道的也不多，加斯特先生说。

我管我的活儿，吧台服务生说。他眼睛盯着加斯特先生。我尽我的职责，享用我的权利，他说。

你做得好，加斯特先生说，这种方式才能到达极乐境界。

对加斯特先生一家及其亲友，人们没必要知道什么，人们总是在猜。

如果有人问起我，加斯特先生说，就说我出去了马上回来。

他出去了，的确很快就回来了。

他死了，他说。

吧台服务生迅速擦了擦双手，然后画了个十字。

他在临终的时候，加斯特先生说，说了最后的话，但没人听得清楚。这些话之前的话，只是出于好奇，是这样的：来喝酒，耶稣，来喝酒。

他到底怎么了？吧台服务生说。

我没能搞清楚，加斯特先生说，还差他多少天工钱？

他周六拿了薪水，和所有人一样，吧台服务生说。

那么这个就不必再提，加斯特先生说，我会送个十字架过去。

他是个不错的朋友，吧台服务生说。

加斯特先生耸了耸肩膀。

特莱丝在哪儿？他说，她也死了吗？特莱丝！他叫道。

她在厕所里，吧台服务生说。

你消息真灵，加斯特先生说。

我来了！特莱丝说。

这是个年轻强健的女人，她胳膊下面夹着个大盘子，手里拿着块抹布。

给我看着这个牲口棚，加斯特先生说。

一个男人走进了大厅。他戴着顶鸭舌帽，上身穿着一件有腰带的雨衣，雨衣上满是口袋和袋舌，下身穿着马裤，脚踩登山鞋。他背着一个满满的压得人透不过气的大包，双肩在包的重负下虽然弯曲但依旧显得坚强。他迈着迟疑的步子穿过大厅，他那钉了钉子的鞋底在地上拖出很响的声音。

他属于那种最好从一出现就谈及的人物，因为这种人随时可能消失，而且再也不回来。

我的地板啊，加斯特先生说。

水，水，柯奈尔先生说（最好把他的名字立刻就说出来）。

加斯特先生没有犹豫，吧台服务生也没有。如果加斯特先生犹豫，吧台服务生可能也会犹豫。但是，既然加斯特先生没有犹豫，农民也就没有犹豫。

先来点水，柯奈尔先生说，然后再多倒点酒。谢谢。再来点。谢谢，够了。

他放下包，抽筋似的扭动着肩膀和腰。

来点杜松子酒，他说。

他摘下鸭舌帽，用力地朝各个方向甩动着。然后他又把帽子戴到了光可鉴人的尖脑袋上。

你们看到在你们面前，先生们，他说，有一个男人。别错过了。我从大都市燃气炉的最深处步行而来，没有停留一刻，除非是为了……他看着四周，看到了特莱丝（他原先已经看到了她，但是他必须炫耀地看着她），接着他在吧台上俯下身子，低声说完了他的话。他的眼睛从加斯特先生打量到乔治（吧台服务生现在叫乔治），从乔治打量到加斯特先生，似乎是为了确认他的话产生了预期的效果。然后他重新站直身子，以一种洪亮的声音说起话来，少但是经常，少但是经常，慢慢地，慢慢地，这就是我现在的状态。他朝特莱丝瞥了一眼，发出刺耳的笑声。他成功地开了一个男人们之间的玩笑。说到底，你们自在的地方在哪儿？他说。自在！他又补充说。把这叫作自在！

加斯特先生描绘着通往那里的路。

这有多么复杂啊，柯奈尔先生说，总是用这种可怕的合乎礼仪的言谈举止。在法兰克福，人们从火车上下来时看到了什么，那些巨大的令人震撼的字写的是什么？只有一个词：HIER①。蜂拥而上。在佩皮尼昂②也一样，他们也明白。我想起邮政局咖啡馆了。来喝点酒。

您喜欢一口气喝很多？加斯特先生说。

柯奈尔先生向后退，摆出一副居高临下的

---

① Hier 在德文中是"在这里"的意思，在法文中是"昨天"的意思。
② 法国东比利牛斯省城市。

姿态。

您觉得我有多少岁了?他说。他取掉鸭舌帽。不要面具的伪装,他说。他慢慢地转着身体。来,他说,不用对我客气。

加斯特先生说了个数字。

妈的,柯奈尔先生说,说得真准啊。

谢顶会让人产生错觉,加斯特先生说。

别再多说一句了,柯奈尔先生说,您刚才说,是在院子里?

走到头左边,加斯特先生说。

一直要进入那儿?柯奈尔先生说。

加斯特先生重复了他的说明。

好的,柯奈尔先生说,我会去看一眼,只要不让自己过于放纵。出门的时候他也没忘勾搭特莱丝。

你好,我的美人儿,他说。

特莱丝看着他。

先生,她说。

她多么可爱啊,柯奈尔先生说。在门旁边他转过身来。而且讨人喜欢,他说,真是不可思议。他出去了。

加斯特先生和乔治相对而视。

把你的赊账本拿出来,加斯特先生说。然后他对特莱丝说。你不能客气一点儿?他说。

这是个让人恶心的老家伙,特莱丝说。

又不需要在地上滚,加斯特先生说。他开始来回踱步,然后停下来,已然做出了决定。

把所有活儿都停下来,他说,然后保持肃静。我要对你们讲讲这个房客,这个可爱而野蛮的畜生。很遗憾帕特里斯不能在这里听我讲话。

他抬起头,将手叉在背后,开始讲起房客来。他精心地选择词语并斟酌效果,此时他看到了一扇打开的小窗子,窗外是一片平坦、清净而虚空的景象。这是一片荒原,一条狭窄的道路,没有路牙也没有树荫,它以柔和的曲线,一望无际地回环延伸。淡灰色的天空中没有一丝风吹过。远方,在天与地之间,在天地的交会处,有些地方可以通行,就像是从一个阳光灿烂的世界里溢出来一样。看起来是个秋日的下午,可能是十一月初的时候。那团小小的黑影如此缓慢地向前推进,但最终还是能够辨认出它是什么。这是一辆由一匹黑马拉着的遮盖着篷布的车子。马悠闲地拉着车子,仿佛在闲庭信步。车夫走在车前,晃动着他的马鞭。他穿着件宽大、厚重的浅色大衣,一直垂到脚。他可能很开心,因为他在唱着歌,一段一段的。时而他会转过身,可能是为了向车内张望。现在可以,他的脸也看得清了。他看上去挺年轻,他抬起头微笑着。

今天就到这里，加斯特先生说。你们要坚信这种观察的方式。思考思考，边工作边想。永远在当面的时候卑躬屈膝，在私下里暗自冷笑，才会有这样的修行。我把它当成礼物送给你们。如果有人问起我，就说我出去了。特莱丝，你六点钟的时候叫醒我，和平常一样。他出去了。

他说的话里有对的地方，乔治说。

啊，男人啊，男人啊，特莱丝说，他们没有理想。

柯奈尔先生回来了，他对如此快地完事非常满意。

我当时有些对付不了，他说，但我还是到达了目标。给我点杜松子酒。

对付不了，乔治心想，但他还是到达了目标。

这里多冷啊，柯奈尔先生说，您喝什么？顺便来点吧，我感到深渊又一次在召唤着我。

乔治顺了便。

祝您健康，先生，他说。

喝吧，喝吧，柯奈尔先生说，她真值得在意啊。这位令人着迷的年轻女孩，他说，她敢和我们一起干杯吗？

她结婚了，乔治说，是三个孩子的母亲。

呸！柯奈尔先生叫道，怎么可以说这样的

事情!

给你来点波尔图甜酒吧,乔治说。

特莱丝站到吧台后面。

这代表着被蹂躏过的皮肉啊,柯奈尔先生说,漂亮的胯间烂肉啊!叫着!血!黏液!胎盘!他用一只手掩住眼睛。胎盘!他呻吟着。

祝您快乐,特莱丝说。

喝酒,喝酒,柯奈尔先生说,您不需要在意我。多可怕啊!多可怕啊!

他挪开手,看见他们朝他微笑,就像面对着一个孩子。

请原谅我,他说,我一想到女人就想到处女,我实在无法控制自己。他补充说,她们没有体毛,也从来不撒尿拉屎。

这非常自然,乔治说。

我原本把您当成了个处女,柯奈尔先生说,这不是奉承您,而是出于真心地把您当成了一个处女。体格有些强壮,如果您接受的话,很丰满,很有丰韵,乳房像这样,屁股,大腿……他停了下来。没用,他说,声音有些变调,我今天不会再勃起了。来点杜松子酒。

特莱丝重新投入她的工作。

我现在来说我来此的目的,柯奈尔先生说,他显然完全没有受到打击,您认识一个叫卡米耶的人吗?

不认识,乔治说。

可他约了我,就是这里,约在下午一早,柯奈尔先生说。这是他的名片。

乔治读道:

弗朗西斯·格扎维埃·卡米耶
调查追踪
严守秘密

不认识,他说。

一个矮胖子,柯奈尔先生说,面色有些红,头发不多,好几个下巴,啤酒肚,罗圈腿,猪一样的小眼睛。

楼上有两个人,乔治说,来了不久。

另一个什么样子?柯奈尔先生说。

一个蓄着胡子的瘦高个,乔治说,他站不稳。他面相不善,像个恶人。

是他,是他们,柯奈尔先生叫道,赶紧去通知他。对他说柯奈尔先生到了,在楼下等他。

您说什么?乔治说。

柯——奈尔,柯奈尔先生说,柯奈尔。

可他们说不要打扰他们,乔治说,他们不太随和,您知道。

听着,柯奈尔先生说。

乔治听着。

我很愿意去看看,他说。

去吧,去吧,柯奈尔先生说。

乔治离开了,几分钟之后又回来了。

他们睡了,他说。

必须喊醒他们,柯奈尔先生说。

瓶子空了,乔治说,他们在那儿……

什么瓶子?柯奈尔先生说。

他们让我带上去一瓶 J. J.[①],乔治说。

哦,这两头猪。柯奈尔先生说。

他们没脱衣服,躺在地上,肩靠着肩,乔治说,手拉着手。

哦,这两头猪。柯奈尔先生说。

[①] J. J. 可能是 Jéroboam Jaune 的缩写,指大瓶的黄香槟酒。

五

田地展现在他们面前。地里什么都没有生长,或者说没有生长任何对人们有用的东西。同样也看不太出来这块田地有什么可以吸引动物的。鸟应该可以在这里发现一些蚯蚓。田地的形状极不规则,四周环绕着一些孱弱的树篱,它们是由一些枯树干和丛生的荆棘构成的。秋天可能会有些野桑葚。地面上,一丛蓝色酸腐的草与蓟和荨麻争抢着空间。在必要的时候,这些蓟和荨麻可以用来当作饲料。在其他田地上,外观与之相近的树篱外还环绕着一些外观不太相近的树篱。如何从一块田地进入另一块?也许要穿过树篱吧。一只山羊好奇地对荆棘产生了兴趣。它后腿支撑着身体,前腿搭在一块树干上,寻找着最软的荆棘。它欢快地离开了,猛走了几步,然后停了下来。时而它会轻轻地跳起来,笔直地离地。然后它会重新走进树篱。它是就这样在田地里转圈儿吗?或者它是在前进?

最终可能总是会明白的。会有些房子矗立起来。或者会有一位教士来到这里，带着他的圣水刷，这样就会是一座公墓。在重新兴旺起来的时候。

卡米耶读着他的记事本。一页页看完后，他将本子撕碎，把纸揉成一团扔掉。以下取其中的一页作为范本：

10月20日，乔利，丽斯，14岁，离家出走。14日8点像往常，在学校附近。背着书包，没戴帽子，光着小腿，穿凉鞋，未穿外套，蓝裙子。瘦，金发，漂亮，体形好。当天未去上课。近照。**父母拮据**。25。高度关注。

11月5日，哈密尔顿，杰尔特吕德，68岁，矮小，强健，金发。夜店。俄式无边女帽。面纱。黑裙。亮片。乌木拐杖。发绀病。住在已婚女儿家，瞒过窥视。29—30日夜里走失后未归。可能已无分文。绿宝石耳环。照片65岁。曾酗酒离家出走多次。注意！会在发作之后回家。**重金酬谢**。100+相关费用。

11月10日，杰拉尔，杰拉勒，50岁，离异再婚，七个孩子，经济状况好。性情坚强（据她说），六个月以来逃避妻子义务。不在外过夜。早上在B处，中饭在俱乐部，下午在办公室。回家吃晚饭。晚上和孩子们一起玩。从不出门。不运动。爱读书！视情况50—75+相关费用。

注：11月12日，见杰·杰，安顿，80+信息费。

他看着我做，并无一句话，卡米耶心想。他从衣袋里掏出个大信封，从里面取出以下的东西并一一扔掉：几个纽扣，两根头发或者体毛，一块带有刺绣的手帕，几根鞋带（他的癖好），一把牙刷，一块橡胶，一根松紧袜带，几块不同的布头。在掏空了以后，信封也一样被他扔掉。我就是这样掏鼻屎的，他想。他站起身来，这些令他引以为荣的严谨行为使他感动不已，他拾起从那个记事本上撕下并揉过的纸团，也就是说清早的微风还没有吹得太远的那些纸团，要么藏在地表的一个褶皱里，要么被一丛蓟草挡住。一张张纸于是又被找了回来，他将它们撕得更碎，然后扔掉。他回到梅西埃的身旁。

好了，他说，我感到轻松多了。

我看到你的袜子上有个洞，梅西埃说。

我感到轻松多了，卡米耶说，照片，我暂时留着。他摸索着衣袋。怎么说你也不会坐在潮湿的草地上吧？他说。

我坐在我们的雨衣上，是属于我的那一半，梅西埃说，这样好极了。

天气好得太早了，卡米耶说，这不是好

兆头。

现在到底是什么天气？梅西埃说。

你瞧瞧啊，卡米耶说。

我宁愿你告诉我，梅西埃说。然后我会对你说我是不是同意你的看法。

一块苍白没有热度的斑点，卡米耶说，出现在天空中。这应该是太阳。只能偶尔有幸看到它，因为从西边吹来一片脏兮兮、丝丝缕缕的云块，飘到它的面前。就像是有些虫蛀。温度低，但是还没有下雨。

你坐下来，梅西埃说。当然，你不像我那么觉得冷，不过还是利用这个斜坡。不要事先过多耗掉你的力气，卡米耶。要是你得感冒的话我就遭殃了。

卡米耶重新坐了下来。

朝我这边来点儿，梅西埃说，这样会更暖和一些。再过来点儿。现在像我这样做，收起你的小腿，把你那一侧封闭起来。就是这样。现在只缺清煮蛋和柠檬水了。

我感到一股潮气进入我的身体，直到发梢，卡米耶说。

既然他现在还无法摆脱，梅西埃说。

我是担心我的囊肿，卡米耶说。

你所缺少的，梅西埃说，是类比的感觉。

我看不出有什么关系，卡米耶说。

正是如此,梅西埃说,你从来看不出有什么关系。说到你对你的囊肿的担心,你就想想瘘管吧。当你因为你的瘘管颤抖时,你就想一想下痢吧。对于被有些人还称作幸福的东西,这也是一种有价值的系统。假如说有个家伙什么毛病都没有,身体没毛病,其他方面也没有。他将怎么摆脱呢?很简单。想一想虚无。于是在每一种处境下,大自然都给予了我们微笑,如果不是大笑的话。

接着说,卡米耶说。

谢谢,梅西埃说,现在让我们平静地想想事情。

在静默了一段时间后,卡米耶开始笑起来。梅西埃最后也觉得这很滑稽。他们于是一起笑了很长时间,互相搭着肩膀,为了不倒下去。

像这样开心真是痛快,卡米耶说,总之。好像是沃夫纳格[①]说的话。

总之你明白我想说什么了,梅西埃说。

你今天感觉怎么样?卡米耶说,我还没有问过你。

我觉得虚弱,梅西埃说,但是比任何时候

---

① 沃夫纳格侯爵(Vauvenargues,1715—1747),法国伦理学家和随笔作家。

都坚定。你呢？

现在还行，卡米耶说。解决了所有这些脏东西对我来说是好事。我感到轻松多了。他听着。我说我感到轻松多了，他说。但是毫无疑问梅西埃对这句话无动于衷。说我感受自己精神饱满，那还谈不上，卡米耶说，我可能不会，比方说，再去昨天我经过的地方。

我们到底决定了什么？梅西埃说，我能回忆起来我们达成了一致，就像别的方面一直所做的那样，但是我不再清楚对什么达成了一致。不过你应该知道，因为说起来我们正在实施的是你的计划，不是这样吗？

我也一样，卡米耶说，有些细节变得模糊，更不用说推理时的巧妙手法。我只能对你说我们要做的事情以及为什么我们要去做它。说得再好一些，是我们将尝试着去做的事情。

我已经准备好尝试一切，梅西埃说，但前提是知道是什么东西。

我们将乖乖地回去，不必着急，回到城里，卡米耶说，然后在那儿停留必要的时间。

必要的时间来做什么？梅西埃说。

来找回我们丢失的东西，卡米耶说，或者放弃它们。

的确应该存在着很多巧妙的手法，梅西埃说，那个能使我们达成如此决定的推理。

在我看来,卡米耶说,尽管我不能确证,那个包是整桩事情的症结所在。我想,我们已经决定了,包里面有或者曾经有一样或者几样东西,我们是可以艰难地放弃的。

但是我们已经回忆过包里装的所有东西,梅西埃说,并且得出结论里面只有些多余的东西。

我不否认,卡米耶说,我们不太可能对多余的概念有了转变,从昨天早上到现在。那么我们的困扰是来自哪儿呢?这就是我们必须对自己提出的问题。

来自哪儿呢?梅西埃说。

在我们看来,它可能来自,卡米耶说,如果我的记忆没错的话,来自一种直觉,它告诉我们这个包里有或者曾经有一样或几样东西,对于我们的拯救是必不可少的。

但是我们知道并非如此,梅西埃说。

微弱的哀求声,卡米耶说,它有时会向我们说起一次次前世,你听过这样的声音吗?

我会越来越混淆,梅西埃说,这种声音和那个想让我相信我还没死的声音。不过我明白你想说的意思。

可能是一种类似的声音,卡米耶说,二十四小时以来一直在小声地说,包!你们的包!我们昨天晚上的交谈,在交谈中我们已经比较过彼此的感受，在这个问题上没有留下任何疑问，如果我记得没错的话。

这我一点都想不起来了，梅西埃说。

于是我们可能确认了这种必要性，卡米耶说，如果不是说去找回，至少是说去寻找我们的包，并以此为出发点，不可控制地产生了我们计划的其他部分。因为去寻找包这件事，就像是天意注定的一样，引发了对自行车和雨伞的寻找。

我完全不理解为什么，梅西埃说，为什么不简简单单地去操心包，而去想自行车和雨伞，既然这是包的问题，而不是自行车或者雨伞的问题，可是……？

我明白了，我明白了，卡米耶说。

那么如何？梅西埃说，我们为什么不……？

不再从头开始了！卡米耶叫道。

那么如何？梅西埃说。

我也不是很理解为什么，卡米耶说，我只知道昨天晚上我们看得很清楚为什么。我想，你不是要把一切都重新讨论吧？

当我找不到原因，梅西埃说，我就无法舒坦。

这一次只有卡米耶一个人弄湿了长裤。让我们小心地跟着他们，梅西埃和卡米耶，我们和他们的距离永远不要超过一级台阶的高度，或者说一面墙的厚度。任何排序的或者调和的烦恼，都永远不会使我们离开他们，就目前来说。

梅西埃不和卡米耶一起笑？卡米耶说，当他可以说话的时候。

这一次不，梅西埃说。

对我来说，我们当时应该是这样推理的，卡米耶说，或者接近于这样。那些东西（我把这些东西看到最坏），不论它们是怎么样，我们认为它们是有用的，为了继续我们的旅行……

我们的旅行，梅西埃说，什么旅行？

我们的旅行，卡米耶说，本来我们有着大到极点的成功机会，但我们现在不再有了。我们于是把这些机会放到包里，仿佛这就是包含着运气的东西。但是好好思考一下，没什么可以向我们证明，这些机会不是在雨伞里面，或者与自行车的某个部分拴在一起，可能还包括拴的绳子。我们所知道的全部内容，就是我们曾经拥有它们，现在不再有了。甚至对这一点我们也没有任何确证。

就前提而言，就是前提，梅西埃说。

你想怎么样，卡米耶说。

你那小嗓门在嘀嘀咕咕，包！我们的包！你把它弄成什么了？梅西埃说。

但是等我们找到它时，它老早就已经被感染了，卡米耶说，别幼稚，梅西埃。想想它可能接触过的疫气。

我昨天夜里做了个奇怪的梦，梅西埃说，现在我又想起它了。

因此这是些未知的事物，卡米耶说，它们不但不一定在包里，而且任何背包里面都可能无法含有，比方说自行车本身，或者雨伞，或者这两样东西。真相，我们从哪儿可以辨认出来呢？一种突然增加的舒适感？我想不是这样。

我当时在一个森林里面，和我祖母在一起，梅西埃说，我不……

这会令我惊讶的，卡米耶说，不，我所看到的，是一种长期的不断增强的放松感，如果一切顺利，从现在开始两三个星期后达到顶点，但我们并不准确地了解它的原因是什么。这将是无知中的喜悦（常见的组合，补充说明），重新获得一种必要财富的喜悦，却对它的特性毫无所知。可以确定的一点，就是我们必须通过各种手段，迫使我们现在和未来的状态能试着回归到拥有我们最初装备时的情形，然后才能真正地实现我们的跃进。我们也许会失败。但是我们会尽好我们的职责。我认为这差不多就是我们当时应该使用过的论据。它们很能打动人，的确如此。

她手捧着她的双乳，梅西埃说，她捏着乳头，用拇指和食指，不过，我不……

卡米耶发火了，也就是说他装着发火了，因为对梅西埃，卡米耶无法真正发火。梅西埃的嘴一直半张着。在杂乱灰白的胡须里，闪烁着一些看上去不知来自何方的水滴。在更高一点的地方，手指在挺直的、表皮红润紧绷的大鼻子上游动，随后悄悄地滑进两个宽大的黑洞里，接着又摊开在面颊上，最后从头再来一遍。苍白的眼珠凝视着前方，似乎带着些恐惧。宽大凹陷的前额上布满了形状像翅膀一样的深深的皱纹，这些皱纹与其说是因思考而来，不如说来自这种缓慢的惊讶，它使眉毛扬起，随后又打开了双眼，而前额无论如何算是这个头上最不滑稽的部分了。前额四周环绕着由布满油垢的乱发组成的似乎并不真实的一堆东西，各种色调一应俱全，从淡黄色到白色。至于耳朵，我们就不提了。

梅西埃无力地反击着。

你让我介绍，卡米耶说，我照做了。你又不听我说话。

因为我又想起了我的梦，梅西埃说。

是的，卡米耶说，不听我说话，而只想对我说你做的梦。可你并非不知道，我们在这个问题上卡住了,别再描述什么梦了,任何借口都不行。我们有一个类似的协议,禁止引用。

Lo bello stilo che m'ha fatto onore.[①] 梅西埃说,这是句引用吗?

Lo bello 什么?卡米耶说。

Lo bello stilo che m'ha fatto onore. 梅西埃说。

你想要让我知道什么?卡米耶说。这让我看起来完全是装腔作势。为什么?

这些词从昨天到现在一直在我脑子里作响,梅西埃说,拼命地想从我嘴里冒出来。

你让我恶心,梅西埃,卡米耶说,我们采取一些谨慎的行为,是为了尽可能地更好,尽可能地别乱来,就好像本来是低着头盲目向前冲一样。他站起身来。你有走路的力气吗?他说。

没有,梅西埃说。

显然如此,卡米耶说。我去给你找些吃的。

去吧,梅西埃说。

强壮扭曲的小腿使他很快来到村子里。他的双肩晃动着,双臂在胸前摆来摆去,很有喜

[①] 意大利语,源自但丁的《神曲》,大意为:为我增辉的美丽风格。

剧效果。梅西埃依然在坡的遮掩下，面对着两个普通的斜坡，他又一次不知道自己该去往何方。因为这两个坡连在一起。最后他暗想，我是梅西埃，孤独，有病，受寒冷和潮湿的侵袭，已经年迈，神经一半已经错乱，深陷在一个没有尽头的故事里。他看了一会儿丑陋的天空，可怕的地面，带着一种思乡的情绪。你这把年纪，他对自己说。诸如此类。同样有喜剧效果。不过没什么大不了。

我本来正好要走，柯奈尔先生说，做着最后的努力。

乔治，卡米耶说，我想要五块三明治，用张纸包起来四块，另一块放在一边。您看，他说，同时很亲切地转身朝向柯奈尔先生，我想好了一切。因为我将在这儿吃的那一块会给我带来必需的力气，让我带着另外四块到达。

莽撞的推理，柯奈尔先生说，您带着您的五块三明治一起走，用张纸包起来，您突然觉得您没了力气，您打开纸包，拿出一块三明治，您把它吃了，您再拿起东西，您和另外四块一起继续赶路。

对此我这样简单地回答您，卡米耶说，同时请您去操心和您自己有关的事情，我想喝上一品脱最浓的黑啤酒，空着肚子是不能喝的。我不是说我一定会做，我是说我可能会这么做。所以我必须马上吃一块三明治。他开始吃了。您想要一块吗？他说。

您省着吧，柯奈尔先生说，昨天是蛋糕，今天是三明治，明天是干面包，星期四就啃石头了。

来点芥末，卡米耶说。

昨天在和我分开之前，柯奈尔先生说，为了您生死攸关的事情，您和我定了约会，就在这里，下午。我到了，以我平素习惯的准时，您可以问问乔治我当时是什么样子。我等着。您会对我说我习惯如此。可能吧。一些疑虑开始困扰着我。我搞错地方了？弄错时间了？我把这一切和吧台服务生推心置腹地说了。我这才知道您是在楼上的某个地方，和您的同党在一起，而且已经很长时间了，两个人一起沉浸在下流的迷醉当中。我让人去叫醒您，并且强调了我的事情是多么紧急。但是不行。不可以打扰您，任何理由都不行。您把我勾到这间屋子，说什么可以安静地聊一聊，可是我刚刚来到，您就布好局阻止我看到您。我听从了一些建议。等一等，他们就会下来的。我心肠软，我就等着。你们下来了吗？哼！我只好重新过问。叫醒他，告诉他柯奈尔先生在楼下。您给我滚。客人的意愿是神圣的，这就是他们反对我的理由。我威胁，可人家嗤之以鼻。我想去他的。武力解决。人家拦了我的道。耍了个小伎俩，利用了他们的疏忽，我一下子溜到楼上。他们抓住了我。我哀求。被人哄笑。他们引诱我喝酒，吃晚饭，过夜。明天我会见到您的。只要您一下楼，就有人会告诉我。大厅里全是人。有些是干体力活儿的，有些是旅行者。我晕头转向。我在一个沙发上醒了过来。七点钟了。你们已经走了。为什么没人通知我？不知道。他们几点钟走的？不知道。他们会回来吗？不知道。

卡米耶举起一个想象中的大啤酒杯，这是根据他弯曲的手指看出来的。真实的那一杯，他已经慢慢地一口气喝完了。他付了钱，拿着纸包走到门口。在门口他停了下来。

柯奈尔先生，他说，我请您原谅。昨天有一段时间，我多次想到过您。然后我就再也没想过您，而且是完全不再想，一刻也不再想。就仿佛您从来没有存在过，柯奈尔先生。不，我搞错了，就仿佛您在我不知情的情况下存在着一样。我在这儿对您说的，柯奈尔先生，您别往坏里想。并不是要冒犯您，柯奈尔先生。因为我已经明白了，或者说已经决定了，我的工作已经结束，我是说别人了解的我的工作，我错误地以为您可能会加入我们当中来，甚至只有一两天。我再次请您原谅，柯奈尔先生，我向您道别。

我的母狗！柯奈尔先生喊道。

您了解她，卡米耶说，您想她。您做出了宝贵的付出，总之是人们所说的宝贵，为了和她重逢。您想想您自己的幸福吧。他出去了。

柯奈尔先生差一点跟着他出去。但是他已经控制了自己一段时间，说到底他也乐于谈话结束。从院子里回来时，他往大街上瞥了一眼。随后他回到大厅里，在这里他身上袭来一股哀愁，他又重新喝起了杜松子酒。

我的母狗，他呻吟着。

好了，好了，乔治说，让人再给您找一条吧。

侯爵夫人！柯奈尔先生呻吟着，她微笑着！

尽管不幸，但又有一位了结了。

没有看到加斯特先生，个中原因是他去了一个小树林里，为帕特里斯寻找一些雪花莲。对某些事情来说，不幸也有好的一方面。

也没有看到特莱丝，看不到她并没有什么遗憾。

至于其他人，要耐心一些。

梅西埃什么也不想吃。卡米耶还是强迫他吃了。

你脸色都发青了，卡米耶说。

我要吐，梅西埃说。

他没有搞错,卡米耶搀扶着他。

这样会让你好一些,卡米耶说。

慢慢地梅西埃感觉好了一些,的确,换句话说比吐之前好了一些。

我脑子里有些非常悲伤的想法在打转,他说,在你走了以后。我以为你不会回来了。

把雨衣就这么留给你?卡米耶说。

你有理由抛弃我的,我知道,梅西埃说。他思考了片刻。只有卡米耶才不会抛弃梅西埃。他说。

你可以走路吗?卡米耶说。

我会走的,别害怕,梅西埃说。他站起身走了几步。看看我走得多好。他说。

要是把雨衣扔掉呢?卡米耶说,我们能拿它来干什么?

它可以延迟雨的作用,梅西埃说。

它是个裹尸布,卡米耶说。

什么事都别夸大,梅西埃说。

你想让我对你说我全部的想法吗?卡米耶说。穿着雨衣的人会不安,不论是在身体还是在精神上,而不穿的人同样也会如此。

你说的有一定道理,梅西埃说。

他们看着雨衣。它在坡底摊开着。像是被剥了皮一样。四方形衬里的几个小块,带着消亡时的迷人情调,贴在双肩的位置。在还没有浸到水的地方，黄颜色比别处显得略淡一些。

如果我粗鲁地叫它呢？梅西埃说。

有这个时间，卡米耶说。

梅西埃思考着。

永别了，轧别丁老雨衣，他说。

随着静默的持续，卡米耶说：

这就是你的粗鲁？

是的，梅西埃说。

我们走吧，卡米耶说。

那我们就不扔它了？梅西埃说。

就放在那儿，卡米耶说，不用劳神。

我本来想把它扔出去的，梅西埃说。

就放在那儿，卡米耶说，慢慢地，我们身体留下的痕迹会磨灭。在阳光的照耀下它会卷曲，就像一片枯叶。

要是把它葬了呢？梅西埃说。

这有些多愁善感了，卡米耶说。

这样别人不会拿走它，梅西埃说，万一有什么长满虱子的脏人。

这又能把我们怎么样呢？卡米耶说。

显然不能，梅西埃说，但这对我们总是不太好。

我可要走了，卡米耶说。

他走远了。梅西埃很快和他会合。

你可以趴在我身上，卡米耶说。

过一会儿，过一会儿，梅西埃说，有一点恼火。

你怎么总往后看，有什么可看的？卡米耶说。

它动了，梅西埃说。

谁？卡米耶说，啊，我知道了。它挥动着它的手帕。

衣袋里什么也没留？起码还有点吧？梅西埃说。

各种各样轧过的票子，卡米耶说，一些用过的火柴，放在一些从报纸上撕下的边角上，上面本来记着想不起来的约会，但这些痕迹已经被磨去，还有一根普通的削尖了的铅笔头，只剩下十分之一，此外是些脏的草纸，密封性没有保证的避孕套，最后还有些灰尘。总之，整个的生活都在这儿了。

没有任何我们需要的？梅西埃说。

既然我都对你说是整个的生活了，卡米耶说。

他们默不作声地走了一段时间，同样的情形也曾发生过几回。

如果必要，我们将用上十天时间，卡米耶说。

不乘交通工具？梅西埃说。

我们寻找的东西不一定是在岛的另一端，

卡米耶说。我们的信条因此是……

我们寻找的东西，梅西埃说。

我们并非为了旅行的乐趣而旅行，这是我所知道的，卡米耶说。我们是笨蛋，但是没有笨到这样的程度。他好奇地观察着梅西埃。你好像透不过气来，他说。如果你有什么话要说，那就说出来吧。

我本来的确想要说些什么，梅西埃说，但是，经过思考，我保留不说。

不是耿耿于怀吧，我想？卡米耶说。

继续说下去，梅西埃说。

我刚才说到哪儿了？卡米耶说。

我们的信条因此是，梅西埃说。

啊，对了，卡米耶说，我们的信条因此是放慢速度、多加谨慎，会有一些向右和向左的偏离，还会有突然往回掉头，这都取决于直觉那阴暗的锋芒。要是停下来整整几天，甚至几个星期，我们也不必害怕。我们有整个的生活在我们面前，最后结清整个尾欠。

现在天气怎么样？梅西埃说。

你当我是什么人了？卡米耶说，当我是曼托①？

---

① 曼托（Manto），希腊神话中先知提瑞西阿斯（Tiresias）的女儿，也善于预言。

我完全心理平衡,梅西埃说。

和一直以来的天气一样,卡米耶说,有一点点小区别,我们开始适应。

我感到了一些小雨滴,打在我脸上,梅西埃说。

加把劲儿,卡米耶说,马上就到该死的人的车站了。我看到钟楼了。

好的,梅西埃说,我们可以去那里休息。

六

前两章内容的小结

4

火车。
马登先生的插曲,第一部分。
慢车。
马登先生的插曲,终。
村庄。
客栈。
加斯特先生。
路上的牲口。
农民。
梅西埃的梦。
达成共识的旅行。
卡米耶的冷静。
帕特里斯的病。
梅西埃和卡米耶上楼。
格拉夫先生。
农民们出发。

帕特里斯之死。

他临终遗言之前的话。

柯奈尔先生的插曲,第一部分。

加斯特先生谈论客人。

加斯特先生的视线。

柯奈尔先生的插曲,第二部分。

梅西埃和卡米耶睡觉。

5

第二天。

田地。

山羊。

晨曦。

梅西埃和卡米耶的笑。

交谈(加上卡米耶一个人的笑和梅西埃的脸)。

梅西埃的梦。

卡米耶离开。

梅西埃一个人。

客栈。

柯奈尔先生的插曲,终。

雪花莲。

梅西埃吃东西。

梅西埃呕吐。

雨衣。
他们出发。
该死的人的钟楼。

七

终于有一天见到了城市,先是市郊,然后是市中心。他们已经失去了时间的概念,但是街道和人群的样子,空气中嘈杂的声音,这一切都告诉他们,这一天是一周的休息日。夜色降临。他们在市中心附近转了一会儿,并不知道该去往何方。最后,在梅西埃的建议下(这应该是轮到他带路),他们去了埃莱娜的家。她正躺在床上,有点病恹恹的。她还是起床让他们进来,之前还隔着门喊了声:谁啊?他们把他们的挫折和希望都讲给她听。他们向她讲述了那只赶跑他们的公牛的故事。她出门了,回来的时候带着雨伞。卡米耶摆弄了它好长时间。可它非常灵光啊,他说,非常非常灵光。我已经修过了,埃莱娜说。似乎比以前还是要灵光些,卡米耶说。可能吧,埃莱娜说。它打开时很灵活,卡米耶说,我这么啪的一下,按伞柄上的按钮,它又自动缩了回来。我开,我关,一下,两下,一下,两下,啪!

噗！啪！……够了，梅西埃说，你又要给我们把它弄坏了。我有点病恹恹的，埃莱娜说。这是好兆头，卡米耶说。但是包并不在这儿。我没看到鹦鹉，梅西埃说。我把它放到乡下了，埃莱娜说。夜色静谧地流逝着，就他们而言，没有做任何伤风败俗的行为。第二天他们就待在了家里。时间对他们来说似乎很长，他们相互有些触摸，并没有觉得累。面对着一炉旺火，在混合着灯光和夕阳的光线中，他们慢慢地在地毯上扭动，裸露的身体交织在一起，慵懒地相互触摸着，加上些插花女的动作，而雨此时正敲打着窗户。这应该是多么美妙啊！快到晚上的时候，埃莱娜叫人带上来几瓶酒，他们心满意足地陷入了梦乡。换成一些没那么执拗的男人，他们可能会挡不住留下来的诱惑。但是第二天下午他们又重新出现在街上，向那个他们为自己设定的目标走去。在他们面前，只有一个凄凉白昼的几个小时，在黑夜来临之前，夜前的时分。因此必须赶快行事。天色阴暗，不过煤气路灯使阴暗不能完全笼罩，这无法妨碍他们去寻找，他们已经考虑到了一切。相反，阴暗对他们来说只会成为一种宝贵的支援。因为他们想要去的街区，他们并不熟悉四周的情况，他们在夜里去比在白天去更方便，何况他们唯一去过的那次并不是白天，而是夜里，或者说近似于夜里。于是他们走进了一家酒吧，因为在酒吧里梅西埃和卡米耶能愉快地等待夜色的降临。此外他们这样做还有一种不太庄重的理由，那就是他们兴致盎然地想尽可能将自己笼罩在当时同样的氛围中，这同样包括精神方面，当时使他们最初的步伐如此犹豫不决的氛围。他们尽力这样去做了，不再拖延。这件事情事关重大，卡米耶说，我们不要忘记最起码的谨慎。因此他们不仅是一举两得，甚至可能说是一举三得。因为他们利用这种休息时间，来谈论这样那样的事情，这对他们非常有益。因为在酒吧里面，在地球这个天体上的梅西埃和卡米耶，他们以最自由和利益最大化的方式，进行着交谈。渐渐地他们的思想有了一个非常清晰的认识。尤其被下面的这些概念占据：

1. 缺钱是一件坏事。但是也可以成为一件好事。

2. 丢了的东西就丢了吧。

3. 自行车是很好的一样东西。但是用得不好，它也会变得很危险。

4. 到了山穷水尽的绝路，倒会叫人思考。

5. 有两种需要：现有的需要，以及拥有需要的需要。

6. 直觉会造成一些疯狂的行为。

7. 从灵魂里呕吐出来的东西是永远不会失去的。

8. 要是感觉口袋每天都少了很多财源，经过最艰苦磨砺的意志也会摧毁。

9. 一条男式长裤被卡住了，特别是门襟的位置，只好像跷跷板那样，把门襟拉到胯下（这与小便这种脏事情完全无关），阴囊可以从这里出来透透气，而且好奇的眼光也看不到。内裤当然也要朝同样的方向调整。

10. 与一种流传甚广的意见正好相反，在大自然的某些地方，上帝似乎是不存在的。

11. 没有女人我们可能会做什么？我们可能会养成另外一种习惯。

12. 灵魂（âme）有三个字母，有一个或者一个半甚至是两个音节。

13. 人们可以如何描述生活，用还不曾描述过的方式？有很多东西可以说。比方说，它连屁股都瞄不准。

在如此窄的视野里，他们并没有迷失当初定下的目标。只是在他们面前显现出，并且随着时间的流逝愈发明确，一个要在平静和冷静之中追逐的目标。随后，在他们还足够平静，足以知道自己将不再平静的时候，他们做出幸福的决定，把任何行动都推迟到第二天，甚至在必要时，可以一直到第三天。他们于是怀着极佳的情绪回到了埃莱娜的家里,毫无拘束地入睡了。甚至第二天他们拒绝了在晨雨下美妙的消遣,因为他们想保持新鲜和活力,来面对即将到来的考验。

到了中午,他们从房子里出来。他们停在门廊下面。

哦,漂亮的彩虹,卡米耶说。

雨伞,梅西埃说。

他们相对而视。卡米耶回身上了楼梯。当他拿着雨伞回来时,梅西埃说:

你费的时间太长了。

哦,你知道,卡米耶说,我尽力去做了。要打开它吗?

梅西埃长久地看着天空。

你怎么看?他说。

卡米耶走到人行道上,对天空做着仔细的观察,随后依次转向北边、东边、南边和西边。

怎么样?梅西埃说。

别急,别急,卡米耶说。他径直走到路的中间,为了避免犯错的可能。最后他回到门廊下面。

按照我们的情况,他说,我不会打开它的。

可以知道是为什么吗?梅西埃说,就我来看,雨正拼命地下着。你甚至全身都淋湿了。

你呢，你是想打开？卡米耶说。

我没有这么说，梅西埃说，我只是想知道，如果我们现在不打开它，我们什么时候会打开它。

仔细看的话可以看出来，这是一把小阳伞而不是雨伞。平时，从伞杆的这一头到那一头的距离只是打开后总长度的四分之一多点。伞柄的末端是一个琥珀球，上面有一些流苏的装饰。伞是红色的布料，或者说曾经是红色的，有些地方甚至一直还是。伞身四周还有几个流苏的装饰，没有规则地散布着。

好好地看看它，卡米耶说，拿着，拿过去。它又不会咬你。

拿远些！梅西埃叫道。

它从哪儿来的？卡米耶说。

我在卡昂的店里买的，梅西埃说，要知道我们本来只有一件共用的大衣。他开价一个先令，我最后付了九个便士。我想他还拥抱我了。

他的店应该是 1900 年左右开始开的，卡米耶说。那一年有莱迪史密斯事件，在克利普河上①。你想得起来吗？一段辉煌的时刻。每

---

① 1900 年，南非布尔人攻打英国统治下位于克利普河上的莱迪史密斯镇，被英国怀特将军击退。

天都有花园招待会。生活色彩斑斓地在我们面前展现。有着一切美好的前程。攻城的游戏开始了。人们像苍蝇似的被踩死。又饿又渴。砰！砰！最后的子弹了。投降吧！绝对不可能！可以吃尸体。喝自己的尿。砰！砰！这两声是刚才一时遗忘了的子弹。还等什么呢？观察哨发出一声吼。天边扬起炮尘！是援军！舌头都黑了。还是要欢呼！啦啦啦！啦啦啦！就像些老鸦一样。一位中士欣然死去。我们得救了。新世纪才只有两个月。

你现在看看它，梅西埃说。

你感觉怎么样？卡米耶说，我总是忘记问你。

下楼时我感觉不错，梅西埃说，现在要差一些。胀着气，如果你接受我这么说的话，不过还没胀成一团。你呢？

一把干草，卡米耶说，在汹涌的海洋当中。

到了让人吃惊的时候了，梅西埃说。

至于这个轻便的可以藏身的东西，卡米耶说，我想最好留到大热的日子用。从无情的蓝天上照射下炽热的光线。我们连顶帽子都没有。

还不如马上扔掉它，梅西埃说。

我很乐意，卡米耶说。

我们可以在紫杉的阴影下躺下来,梅西埃说,从早到晚。

什么紫杉?卡米耶说。

不管什么样的了。梅西埃说。

要是没有紫杉呢?卡米耶说。

我们会找到的,梅西埃说。

在这个不幸的国家里,卡米耶说,别说紫杉了,有些省全省连一棵树都没有,不论什么树种,这里最大胆的灌木也不敢长得超过一米高。

酷暑的时候避开这些地方,梅西埃说。

你回答了一切,卡米耶说。

这不是回答,梅西埃说。

那么,扔了它吧?卡米耶说。

我们在犹豫,梅西埃说。

我们犹豫着要不要扔掉它,卡米耶说。我们的理由呢?

我看出来两点,梅西埃说。但是它们靠得住吗?这就是需要确定的。

我会说出来给我们听的,卡米耶说,在我先了解了它们之后。

无论什么样的阳伞,梅西埃说,都可以为我们遮雨,在一定的时间内。我是想说,有伞比起没伞来,我们要少淋些雨,在一定的时间内。

另一个呢？卡米耶说。

另一个什么？梅西埃说。

另一个理由，卡米耶说。

是这样，梅西埃说，它理解起来可能有些困难。

我们会理解的，卡米耶说。

我们敢冷酷地扔掉这样一个东西吗？梅西埃说，往后它可以确切地证明我们曾经需要它，而且失去了它曾经使我们前进的步伐中断，迫使我们夹着尾巴往回走。

我们永远不会扔掉它，卡米耶说。

别这么说，梅西埃说，但是当它破损不堪，不能再为我们遮挡什么时，可能就是扔掉它的时候了，或者当我们确信，它和我们目前的萎靡不振从来不存在任何关系。

非常好，卡米耶说，但是只知道不扔掉它是不够的，还得要知道必须打开它。

既然我们不扔掉它，有一部分原因是为了打开它，梅西埃说。

我明白了，我明白了，卡米耶说，但是必须现在就打开它，或者等到天气特征表现得更明显的时候？

梅西埃观察着无法看透的天气。

去瞧一眼，他说。告诉我你怎么看。

卡米耶出去走到街上。他甚至一直走到街

角,以至于梅西埃都看不到他。回来之后,他说:

可能在底部有些缺口。你想我爬到屋顶上吗?

梅西埃全神贯注。最后他冲动地说:

我们打开它,听从上帝的安排吧。

但是卡米耶打不开它。

拿来,梅西埃说。

但是梅西埃也幸运不到哪里去。他挥舞着它。但是他及时控制住了自己。天意。

我们拿上帝怎么了?他说。

我们否认了它,卡米耶说。

你无法让我相信,它记仇到这个地步,梅西埃说。

我去把它拿给埃莱娜看看,卡米耶说。她两下子就会给我们弄好。他拿着雨伞消失在楼梯里。当他回来时,梅西埃说:

你把这叫作两下子?

第二次总是要稍长一些,卡米耶说。

伞呢?梅西埃说。

她要弄半个小时,卡米耶说,我们没有时间可以浪费。

这样我们会被迫回来,梅西埃说。

但是不管怎么说……卡米耶说。

不管怎么说没什么,梅西埃说,我想从现

在起到黑夜来临之前打定主意,出发。

去哪儿?卡米耶说。

远离这儿,梅西埃说。

那么?卡米耶说。

两者选一,梅西埃说。

唉!卡米耶说。

或者我们等到把它弄好,梅西埃说,或者……

但是我对你说了这不着急,卡米耶说,她要一直干到明天早上呢。

或者我们当中留一个人在这儿,梅西埃说,直到雨伞弄好,其间另一个人去找包和自行车。这让我们节省时间。我们在某个地方碰头,时间待定。

他们继续把它叫作雨伞,多么滑稽啊。

但是她不能马上就弄好,卡米耶说。

这就是要做的事儿,梅西埃说,毫无疑问他状态正佳。你去向埃莱娜解释,事情现在是什么状态。你要求她马上解决雨伞。她会对你说行或者不行,对吧?

她会对我说不行,卡米耶说。

如果她对你说不行,梅西埃说,你就原样拿着雨伞下来。我会待在这儿,我们一起出发。如果相反对你说行,你就等到她弄完再来找我,在我向你指定的地点和时间,或者你向我指定的地点和时间,这完全不重要。

如果你留在这儿,卡米耶说,我走呢?我习惯去找东西。

你说的话有道理,梅西埃说,但是让我来享受这种愉快吧。这挺好,有的时候,去抢别人的角色。

那么,什么地方,什么时间?卡米耶说。

这一切多么可悲啊。

只剩下自己一个人之后,梅西埃就走开了。在某个时刻,他的路和一个老人的路交会起来,这个老人看上去很古怪也很可怜,他的胳膊下面夹着一块折叠的小木板。梅西埃似乎在什么地方见过他,他一边继续走着,一边在想这会是在哪儿。对于老人也一样,梅西埃的路线很奇怪地没能绕开这个老人,他也带有一种怪诞的似曾相识的印象,在一段时间里,他努力地在记忆中搜寻当时是什么样的情形。于是他们彼此想着对方,在缓慢的脚步下,他们的距离在拉大。梅西埃家的人,一点点小事就会让他们停下来,一声低语慢慢扬起,放大,变形,一种声音在说这很奇怪,一日之秋,不管实际是什么季节。有一种从头开始的感觉,但是心似乎不在那儿,又如何能在那儿呢?这尤其在城市里能感觉到,但是在乡村也同样感觉得到,在那里有牛有鸟。农民们穿过广袤空旷的空间，慢慢地游荡着，这会使人怀疑他们如何能在夜色降临之前回到家里，在那个看不见的田地，在那个看不见的村庄。时间不够了，可是上帝知道还有时间。甚至花儿也存在着一种封闭的状态，让翅膀感到了一种恐慌。雀鹰早早地俯冲下来，乌鸦在大白天就离开了休耕田，急着赶往集合的地点，在那里它们只是聒噪争吵，直到夜色来临。此时出去走走的想法会让它们兴奋，但是太晚了。这是事实，在这一天结束之前很久，这一天就已经结束了，在休息的时辰来到之前很久，人们就已经感到了疲惫。但是什么也不要说，在这一天里最后的时刻，依然激荡着兴奋，人们向右跑向左跑，什么都没发生。危险的时刻，让它过去吧，因为没有什么危险，何况也没有武器。大街上的人们困在行进的灾难之中。太短了没有必要开始，太长了又无法开始，这就是他们的时间，仿佛是当年关押巴吕的笼子①。您去向一个过路人询问时间，他会对您随便说点什么，约莫的，一边从肩头丢下一句话，一边走远了。但是请平静一些，他没有差得离谱，他每十五分钟会看一下他的表，根据公共的天象

---

① 巴吕（Balue，1421—1491），红衣主教，据说在1469—1480年被国王路易十一关押在一个铁笼里。

的钟来调时间，然后进行计算，想自己该怎么做，为了做完所有要做的事情，在无尽的白天结束之前。或者他会以一种恼怒而厌烦的手势，表达出他所蒙受的奇怪感受，也就是说现在是曾经一直是并且也将一直是的时间，那个集过晚的美丽和过早的魅力于一体的时间，永恒的时刻！还不必加上一只最可怕的乌鸦。再说整个一天就是这样，从第一声嘀到最后一声嗒，或者看成是从第三声直到倒数第三声吧，因为胸腔的鼓动需要些时间，才能让我们进入梦乡，同样也需要些时间将我们从梦中打发走。但是别人我们听得到，每一颗黍粒我们听得到，我们转过身来看着自己，每一次更近一些，整个一生都更近一些。一盐勺一盐勺的喜悦，就好像给严重脱水者的水一样，还有顺势疗法下一个可爱的小生命的垂危，您还需要什么？一颗以心换心的心？好了。好了。不过还是向一个过路人问一问吧，请他为您指路，他会抓住您的手，带着您走，绕了无数个美妙的圈子，大功告成，准备就绪。这是个灰色的大建筑，没有完工，也永远不会完工，它有两个门，一个给回来的人用，一个给出去的人用，在窗户旁有些正在观望着的脸。您只要什么都不问就可以了。

　　梅西埃的手拉开了栅栏上的栏杆，年岁久

远的弹簧原本将他拦在了栏杆外面,这些弹簧被勇敢地支撑着,就像有人所说的那样。是的,栏杆原本勇敢地支撑着它们,因为它知道最终它们会在缓慢的堕落中停顿下来,声音渐低,直至安静,这种安静也是一种低低的声音,但是声音含混。门关着,或者说是活板门,在地牢里永远是同样的言语,但是在真正的牢房里又重归平静。但是他的路很快和一个须发蓬乱、衣衫褴褛的老人的路交会起来,老人走在一头驴的旁边。驴没有用绳子拴起来,它迈着乏味而勇敢的小步,沿着人行道边缘走着,只是在遇到停靠的车辆或者蹲在阴沟边的积水上玩弹子球的孩子时才会绕开。驴背着两只篮子,其中一只装满了贝壳,另一只装满了沙子。赶驴的人走在大街上,走在突出来的灰色路牙和充满敌意的车辆之间。人和驴,他们只是时而抬起眼睛,去探测有没有危险。梅西埃心想,外部世界并不能影响到这种和谐。他不停地让我们失望,这个梅西埃。他可能高估了自己的力量,在这样阴暗的时分离开卡米耶。的确需要力量才能和卡米耶留在一起,就好像需要力量和梅西埃留在一起一样,但它与自言自语的战斗所需的力量比起来还是要小。然而他现在重新出发了,声音中止了,驴和老人差点把他撞倒,但是他重新站稳了,来得再好不过的及时的雾气重新展开了它生机勃勃的工作，他还可以走远。他几乎不见身影地前进着，贴着栅栏，走在一些据说是绿色的但不知道什么树种的树荫下，如果说可以把一种与附近泥炭沼颜色差不多的铅灰色光线叫作树荫的话，这些树可能是枸骨叶冬青吧，它们的枝叶上沾着雨水。他夹克的领子竖了起来，他的右手套在左手的衣袖里，反之亦然，两只手在他的肚子上晃来晃去，就像是真正的老人做的动作，他偶尔会隐约看到，就好像是透过一些移动的藻类，看到石板上拖动着一只脚。一些沉重的链条，在一些小的铁柱间悬拉着，形成了一道铁制的花环，装点着马路边的人行道。有人碰它们的时候，它们还会长久地晃动，时而平静地动，时而会带着些蛇一般的扭动，渐渐平息。梅西埃小的时候，他来过这里玩耍。那时候，他会一边沿着人行道奔跑，一边晃动铁链，用一根棍子，一个接一个地晃动。跑到尽头后，他就转过身来看着它们。人行道在猛烈的摇摆下颤动着，从这一头到那一头，很长时间才会平静下来。

八

卡米耶的位置就在门旁边。他面前的小桌子是红色的,上面盖着一块厚厚的玻璃。他的左边,一些陌生的人说着一些陌生的事物,他的右边,则是些耶稣会修士兴味盎然地低声谈论公众话题。有人在话题中提起,或者是向身旁的一个人提起,一篇刊登在一本宗教杂志上的文章,内容是关于人工授精。这篇文章得出的结论似乎是,只要是来自非婚姻的精液,都属于原罪。讨论由此开始。各种声音都参与进来。

请说点别的东西吧,卡米耶说,如果你们不想我去把一切都告诉主教的话。你们让我烦。

他看不清楚在他面前发生的事情,因为一切都模糊不清,并且都在烟雾缭绕之下。能够穿透雾气的,只有拿着烟斗的胳膊一张一合的动作,还零星可见有一顶尖顶帽和一些下肢的局部,特别是一些脚,它们绷紧的痛苦的姿势每一刻都在变化，仿佛有灵魂占据在那儿。不过，在他身后，是一面很简单很干净的厚厚的墙，他的背能够感觉到，他靠在上面摩擦着他的枕骨。他暗想，等梅西埃回来的时候，因为他必将回来，这一点我知道，他会在这里的什么地方呢？就在这儿，坐在这张桌子旁？这个问题令他深深思考了很久。他最终决定不行，不可以这样，他卡米耶承受不了，他自己也不知道为什么。那么可能会发生什么呢？为了更好地看清楚可能会发生什么，既然梅西埃不可以到他这个角落来和他会合，卡米耶把双手从衣袋里抽出来，放在面前蜷成柔软舒适的一小团，将脸蜷缩在上面，一开始是轻轻的，随后将整个脑袋的重量都压了上去。卡米耶很快看到，看到自己在梅西埃看到他之前就先看到了梅西埃，看到自己站起身来跑向门。你终于来了，他叫道，我以为你抛下我了呢。他把他拖到吧台，或者是最里面的大厅里，或者是他们一起走开，尽管这不太可能，因为梅西埃很疲倦，他想坐下来，让自己恢复活力，在走远之前，他有很多事情急不可耐地想说出来，卡米耶也有很多事情想说，是的，他们有一些重要的事情要互相倾诉，但他们很疲倦，此外他们很久未见，必须让一切平静清晰下来，并且使他们大致心中有数，知道未来是好是坏或者仅仅是很一般,就像最常见的情况那样,此外还要知道是不是这条路比另一条路会更令他们有兴趣前往,总之是要知道他们现在的处境,然后才能加速前进,进入一个带着微笑的清晰的入口,走向为数众多的目标中的一个,这些目标如果宽容地去判断是等价的,或者他们面带微笑地(也可以不必)谴责这种冲动,同时远远地欣赏着这些目标,因为它们在远处,前前后后地排列着。于是隐约地可以看出本来可以存在的状态,如果本来不必成为现在的状态的话,而且并非每天都要这么麻烦地去钻牛角尖。因为一旦人们看得到,就成了空欢喜。在把即将来到的未来这样理清秩序后,卡米耶抬起头看到对面的一个人,他用了一段时间辨认了出来,因为这是梅西埃,丝丝缕缕的思绪由此而生,直到第三天才平静下来(可这算什么样的平静啊),最后得出温和的结论,之前他过度担心以至于看得不可承受的事情,并不是感觉到朋友在他的身边,而是看着他推开门,完成了对这个大空间的跨越,这个空间从早上以来就将他们分开。

梅西埃的进入给大厅里带来了一定的不安,一种令人不舒服的寒意。不过这些人大部分是码头工人和水手,还有几个海关的职员,这些人面对外表普通的人,一般不会轻易激动。不过还是有些声音低了下来，有些手势悬在了半空，有些大啤酒杯在唇边抖动，有些脸庞同时向一侧转过去。一位观察者，如果有这么一个观察者的话，不过并没有，他也许会想到一群绵羊，或者一群水牛，它们因为一种模糊的危险而激动。身体僵直，脸庞因为威胁变得紧张而恼怒，这一刻它们都凝固不动了，与束缚它们的大自然相比显得更为凝固。然后会是没命的逃跑，或者是对闯入者的攻击（如果闯入者弱小的话），或者继续自己的事情，吃草，反刍，做爱，蹦跳。或者这位观察者会想到些乱跑的病人，他们的来到会使对话中断，会让人忘记肉体，而灵魂中充满了害怕、怜悯、愤怒、嘲笑和厌烦。是的，当人们辱骂大自然时必须非常小心，如果不想听到丧钟，或者接受一只令人厌恶的手的援助的话。有一刻卡米耶似乎觉得事情进行得不对头，他的膝弯在桌子底下紧绷着。但是慢慢地，一种巨大的叹息声延展开来，一种呼气的声音慢慢抬升，抬升，就像一股海浪打在海滩上，怒潮从而被打翻，打成了水滴和四溅的浪花，伴随着孩子的笑声。

你刚才怎么了？卡米耶说。

梅西埃抬起头，但是没有对着卡米耶的目光，也没有看墙。他会如此关注地看什么呢？

人们会暗自询问。

你是什么表情啊,卡米耶说,你好像是从地狱里面出来似的。你在说什么?梅西埃的嘴唇的确是动了。可以蓄胡子,卡米耶说,但不必把嘴埋在胡子里喃喃自语。

我只认识一个人,梅西埃说。

没人打过你吧?卡米耶说。

一个高大男人的影子垂落在他们面前。他的围裙系在臀部当中。卡米耶看着他,他看着梅西埃,梅西埃则开始看卡米耶。于是,眼神并没有交织,却产生了一些极为复杂的图像,每个人都拥有三种不同但同步而且同时的自我,此外尽管要模糊一些,他还拥有另两个人各自拥有的三种版本的自我,也就是说总计九种难以和谐的图像,这还不包括在视野边缘晃动的众多模糊的图像。这形成了一种很艰难的混合,但这是有教益的,有教益的。请您再加上在再度的安静当中,以这三个人为目标的各种眼神,此外您还会产生一种微弱的念头,人们这是置身于何方,同样还想自作聪明,我是想说试图离开这道虚无的、阴暗的、封闭的围墙,在这里,一秒钟的时间内,远方的光芒就让各种年纪的人脸上泛出了红色,这道围墙是一种毫无害处的疯狂,一种感觉自己正存在并且曾经存在过的疯狂。

有什么可以为您效劳的?服务生说。
需要您的时候会叫您的,卡米耶说。
有什么可以为您效劳的?服务生说。
和他一样,梅西埃说。
您什么都还没消费,服务生说。
和这位先生一样,梅西埃说。
服务生看了看卡米耶的酒杯。杯子是空的。
我想不起来我为您效劳过,他说。
我也想不起来,卡米耶说。
至于我嘛,梅西埃说,我可不知道这事儿。
尽点儿力,卡米耶说。
您吓着我们了,梅西埃说,太好了。
我们在充好汉,卡米耶说,同时我们还要付钱。快去找锯木屑吧,我的朋友。

诸如此类,每个人说着一些本来不应该说的话,直到达成某种一致的意见,出于一些棕红色的笑容和一些酸酸的殷勤。喧闹又重新开始了。

该我们了,卡米耶说。
梅西埃举起他的酒杯。
我本来没想这样,卡米耶说。
梅西埃放下他的酒杯。
可是说到底,为什么不呢?卡米耶说。
他们于是举起他们的酒杯,彼此为对方的健康而饮,每一个人都说着祝你健康,同时或者差不多同时。卡米耶又补充道，为了它的成功，我们的……但是这个愿望他没法收尾。帮帮我，他说。

我不知道该用哪个词，梅西埃说，甚至哪句话，可以表述我们认为正想做的事情。

你的手，卡米耶说，你的两只手。

干什么？梅西埃说。

我想把它们抓在我的手里面，卡米耶说。

手于是互相寻找着，在桌子下方，在腿之间，找到了，抓在一起，一只小手放在了两只大手里面，一只大手放在了两只小手里面。

是的，梅西埃说。

是什么？卡米耶说。

舒服吗？梅西埃说。

你说了是的，卡米耶说，你同意了什么？

哪儿跟哪儿啊？梅西埃说，你找不到北了，卡米耶。

你说了是的，卡米耶说，你可以告诉我这是针对什么？

我说了是的？梅西埃说，不可能。最后一次我用这个词，是在我婚礼的那一天。和托法娜。我孩子的妈。**我的**孩子。这是不可让与的。你不认识她。她还活着。一个漏斗。就好像是和一个泥坑在亲嘴。当我想到这是一堆一百公升的狗屎时，我就放弃了我最珍贵的梦想。他中断了话语,带着些矫情。但是卡米耶不想配合他表演。以至于梅西埃必须说话,你不敢问我是什么梦想吗?好吧,我来告诉你。就是躲到宇宙空间中的可可树上的梦想。

我是会怜爱一个有色人种小孩的,卡米耶说。

自那以后,我用另一种形式,梅西埃说,尽我所能,但是其实什么也不能。扭动,扭动,晚上又回到和早上同样的地方跟你们在一起。但是!如果我没弄错的话,这里有一个有价值的词。一切都是 *vox inanis*①,除非,在某些日子,在某些情况下例外,这就是梅西埃对普遍现象的纠纷做出的贡献。你脸红得像只公鸡,卡米耶,你要过上一天这样的日子,你会怒火冲天的。

我们的东西在哪儿?卡米耶说。

我们的雨伞在哪儿?梅西埃说。

我想帮助埃莱娜,卡米耶说,但我做了不恰当的动作。

一个字也别再多说了,梅西埃说。

我把它扔到水池里了,卡米耶说。

我们离开这儿,梅西埃说。

去哪儿?卡米耶说。

---

① 拉丁语,大意为"接近虚无"。

朝我们的斜前方走,梅西埃说。

我们的东西呢?卡米耶说。

别再提了,梅西埃说。

你要让我苦恼不堪吗?卡米耶说。

你想知道一些细节吗?梅西埃说。

卡米耶什么也没有回答。他找不到话来说,梅西埃暗想。

你还记得我们的自行车吗?梅西埃说。

记得,卡米耶说。

大声一些,梅西埃说,我什么也没听到。

我记得我们的自行车,卡米耶说。

它还在,梅西埃说,它牢牢地拴在一个栅栏上,这东西当然有理由存在下去,下了一个多星期的雨,自行车被人取下了两个轮子、坐垫、铃铛和行李架,但它继续存在。他又补充说,还有车镜,我刚才忘记说了。我是什么脑子啊。

还有气筒,当然也没了,卡米耶说。

你相信我或者不相信我,梅西埃说,这我无所谓,但是别人给我们留下了气筒。

可气筒还是好的,卡米耶说,它在哪儿呢?

我想可能只是忘记了,梅西埃说,那么我是留在那儿了。我想做得没错。我们现在要打什么气?我把它掉了个个儿,比方说。我不知道为什么这么做。

它这样子也挺好？卡米耶说。

哦，也非常好，梅西埃说。

他们离开了。刮着风。

一直在下雨？梅西埃说。

现在没有，在我看来，卡米耶说。

可空气还是潮湿的，梅西埃说。

如果我们什么都没得谈的话，卡米耶说，我们就什么都不谈。

我们有些事情要谈，梅西埃说。

那我们为什么不谈呢？卡米耶说。

因为我们不知道，梅西埃说。

那么我们就闭嘴，卡米耶说。

我们坐下来吧，梅西埃说。

我们顺利地离开，毫发未损，卡米耶说。

你看，梅西埃说，继续说。

我们艰难地前行……

艰难！梅西埃叫道。

困难地……困难，是由于街道的阴暗，并且相对荒凉，可能是因为时间，还有不确定的天气，也不知道谁带头，谁跟在后面。

在炉火旁，暖洋洋的，我们处在半梦半醒的状态，梅西埃说，书从手上掉下来，脑袋耷拉在胸前。火焰变弱，炭开始变白，梦涌现出来，向着它的牧场流去。但是看守在巡夜，我们醒了，我们去睡觉，同时为这种历经艰难赢得的境遇而感谢上帝，这种境遇造就了这样的喜悦，在这当中，有一种和平，当风和雨一起敲打着窗户，当思想在游荡，毫无欲念地游荡在那些居无定所的人当中，傻子、罪人、低能者和不幸的人。

时间一长，卡米耶说，人们最后知道的只会是另一个人究竟做了些什么吧？

有意思吗？梅西埃说。

卡米耶重复了他的观点。

甚至在一起，梅西埃说，就像现在，两个人肩膀贴着肩膀，手牵着手，步调一致，但每一刻发生的事情，一本厚书或者两本厚书都容纳不下，一本你的一本我的。也许正是内容太丰富了，才会感觉良好地认为什么也没有，什么也不必做，什么也不必说。因为到最后，人已经懒得跑到消防水管的喷枪前解渴，懒得去看他剩下的几根蜡烛在氢氧喷管上一根接一根地熔化。于是他一劳永逸地献身于干渴和黑暗当中。这并不很让人难以忍受。但是请你原谅我，这些日子水和火占据了我的思想，我才有了这样的话，既然两者之间存在着一种关系。

我想问你几个简单的问题，卡米耶说。

简单的问题？梅西埃说，你让我惊讶，卡米耶。

这些问题的形式是再简单不过的,卡米耶说,你只要回答,不要想。

如果说有什么让我讨厌的事儿,梅西埃说,那就是边走边说话。

我们的处境是绝望的,卡米耶说。

小预言家,走吧,梅西埃说,你觉得要是雨没再下的话,那是因为刮风才不再下的吗?

我一点儿也不清楚,卡米耶说。

它改变了我们,梅西埃说,这是肯定的。但是似乎每时每刻风都刮得更猛,这才是让我担心的。等会儿只能喊着说话了。

问两个完全不值一提的小问题,卡米耶说。然后,你继续你的狂想曲。

听着,梅西埃说,我搞不清答案了,这一点我也想马上告诉你的。我曾经是知道的,在以前,知道些最好的答案,这是我唯一的伴侣。我甚至还编造出一些疑问句进行配合。但是很早以前我就放了这个败类,给了它自由。

说的不是这些,卡米耶说。

那是哪些?梅西埃说,这倒变得有意思了。

你就会看到的,卡米耶说,首先,包有什么消息?

我什么消息都没听到过,梅西埃说。

包,卡米耶叫道,包在哪儿?

从这儿走,梅西埃说,等会儿就没东西能挡风遮雨了。

他们走到一条狭窄的街道,街道两旁是高高的老房子。

我听你说呢,梅西埃说。

包在哪儿?卡米耶说。

怎么又扯到这上面了?梅西埃说。

你还什么都没和我说过,卡米耶说。

梅西埃停了下来,这迫使卡米耶也停了下来。如果梅西埃没有先停下来,卡米耶可能也不会停下来。但是梅西埃先停下来了,卡米耶也必须停下来。

我什么都没和你说过?梅西埃说。

压根儿没有,卡米耶说。

有什么要说的,梅西埃说,就算我什么也没和你说过?

说到底就是如果你找到了,是怎么样的情况,接下去如何,卡米耶说。

梅西埃说,我们回到……他表情茫然地用他空着的那只手含糊地指着他的双腿,以及他朋友的双腿。

我明白了,卡米耶说。

于是他们回到那上面,那个无法描述的东西上面,但与他们的腿毫无关系。

你刚才说什么?梅西埃说。

包,卡米耶说。

我拿了吗?梅西埃说。

好像没有,卡米耶说。

那么怎样?梅西埃说。

这太少了,卡米耶说。

你对谁说这个呢?梅西埃说。

可能会发生很多事情,卡米耶说,你可能去找,但没找到,找到了又丢了,甚至把它扔掉了,你想,没必要我来管这个,或者是今天晚上就这样了,明天我们会看到的,我怎么知道呢?

我找了,但是没找到,梅西埃说,找了很长时间,很耐心地找,很仔细地找,但没有成功。

他夸大其词了。

我有没有向你追究过,你究竟是怎么搞的,才把伞给弄坏了的?梅西埃说,或者你把它扔掉之前发的是什么样的火?我呢,我找了很多地方,我问了很多人,我告诉他们东西不见了,告诉他们天气会带来的外形改变,告诉他们人们的喜好,其中包括我,有的喜好寓言,有的喜好谎言,有的喜好想办法让别人快乐,也有的喜好想办法伤害别人;我原本可以,完全可以,让自己安安静静地待在不论什么地方,因为这并不重要,然后去继续寻找,不是漫无尽头、拖着鞋子再加上钥匙的叮叮当当声音的那种办法，而是一种比叫喊、大步流星、气喘吁吁、喊着号子更好的方法。

多清楚啊，卡米耶说。

梅西埃继续说：

为什么我俩要坚持，卡米耶，比方说你和我，你曾经对自己提过这个问题吗，你这样对我提问题？在逃跑的烦恼和释放的梦想中，我们仅存的一点东西还要扔掉吗？你会不会像我那样，隐约看到一种办法，来适应这种荒诞的痛苦，来平静地等待刽子手的来临，就像认可一个既成的事实？

不会，卡米耶说。

时常，梅西埃说，在音乐会上，我会遗憾音乐停下来，因为它使我相当愉快，接着我就毫无顾忌地进入睡眠，因为我太累了。

他们在一个敞开的大空间边缘停下来，也许是个广场，充满着喧闹声，微光摇曳，人影扭动。

回去吧，梅西埃说，这条街很迷人。它有一种妓院的气味。

他们朝另一个方向走去。这改变了街道，尽管在阴暗中。但是，对他们来说，这没使他们改变什么。

我看到在远远的地方……梅西埃说。

等一会儿，卡米耶说。

真让人受不了，梅西埃说。

我们去哪儿？卡米耶说。

我就永远赶不过你？梅西埃说。

你不知道我们去哪儿？卡米耶说。

这能拿我们怎么样，梅西埃说，我们去哪儿？我们去，这就足够了。

别喊！卡米耶说。

我们从这里走向很少有令人毛骨悚然的东西的地方，梅西埃说，因为有些路狗屎最少，我们就趁势溜进去，我不会拿什么熟悉的东西把你搞糊涂。我们在一条美妙的小街上，我们只要大步前进，直到它在它真正的色彩下展现出它的面貌，而你想知道我们去哪儿。你今天晚上哪儿有劲，卡米耶？

我总结一下，卡米耶说，我们已经决定了，乱七八糟地，决定了……

乱七不糟地，梅西埃说。

应该说是乱七八糟地，卡米耶说，决定了必须离开这座城市。于是我们离开了。这并不容易。不论发生了什么，这种荣耀将一直与我们共存。但是我们刚刚离开我们就不得不回头，一刻都没有耽误。据说是要找回留在那里的某些属于我们的东西。不论怎么说这种动机，但我们顺从于它了，低声抱怨着但还是勇敢地顺从了，除了它没有任何动机能作为理由，来为我们的掉头做辩护。我们又重新同意离开城市，只要我们一可能，也就是说我们取回，或者放弃取回，我们东西的整体或者一部分。于是我们只需选择，说到底只需指明，我们出去的路。你有什么偏好吗？哪种交通方式你觉得最合适？你想马上就走还是要等待黎明？我想在夜晚来临之前打定主意，然后我们就出发。这是你说的话。如果必须在这儿过夜，我们该去哪儿过呢？或者我们今后还会被新的力量左右，这些力量还只能隐隐约约地感觉到，它们暗中反对我们的计划进行下去，并呼唤着要再一次调整到位？这就是我建议你考虑的。如果出于这样或者那样的原因，你不能去想这些，或者不能回答，那就不要想，或者不要回答，没什么会强迫你去做。我会为我们想的，我会来回答的。

他们重新掉头，步调一致。

我们说得太多了，梅西埃说，自从我跟着你以来，我从来没有说过这么多，也从来没听过这么多的蠢话。

是我跟着你，卡米耶说。

我们别吹毛求疵了，梅西埃说。

也许那一天不远了，卡米耶说，我们再也不能彼此说些什么的那一天。所以让我们想一想，在抑制住自我之前。因为到了这一天，你转到我这儿来也是没用的，我会不在这儿，而是在别的地方，在一种相同的状态下，或者在近似的状态下。

你那是要去找什么？梅西埃说。

以至于，卡米耶说，我常问自己，常常，是不是我们不再拖延就这样彼此分开，我们是不是会做得更好一些。

你拿感情是压不住我的，梅西埃说。

甚至今天，比方说，卡米耶说，我差点不想去赴约。

这多稀罕啊，梅西埃说，我可能是把一个相似的天使给打趴下了。

我们当中的一个人最后会放任自己的，卡米耶说。

的确，梅西埃说，我们也许没必要两个人一块儿死。

这可能并不一定是抛弃，卡米耶说。

远远不是，梅西埃说，远远不是。

我想说是一种退出，卡米耶说。

我听到的就是这样，梅西埃说。

但是有一些机会，卡米耶说。

什么样的机会？梅西埃说。

使这能成为一种退出，卡米耶说。

显然，梅西埃说，继续独行，管他是抛弃

的还是被抛弃的……你能接受我不把我的想法说到底吧?

他们安静地走了几步。随后卡米耶发出一声来自内心的笑声。

笨蛋,走吧,他说,一个孩子就会让你走的。

梅西埃让他听一种尖鸣声。

这种声音真不错,他说,你本来想控制我,这是你的长裤在起作用。

实际上,我当时有些发热,卡米耶说。

我也不是很舒服,梅西埃说。

玩笑先放在一边,卡米耶说,这倒值得操点心。

等会儿我们再谈吧,梅西埃说,我们再绕着地平线转上一大圈。

在我们继续向前之前,卡米耶说。

正是这样,梅西埃说。

这样的话必须完全控制我们数目众多的各种官能,卡米耶说。

这样更好,梅西埃说。

然而,我们是那样吗?卡米耶说。

我们是哪样?梅西埃说。

完全控制着我们的官能,卡米耶说。

我希望不是,梅西埃说。

我们需要睡觉,卡米耶说。

正是这样,梅西埃说。

我们去埃莱娜家怎么样?卡米耶说。

我不是很想,梅西埃说。

我也不是很想,卡米耶说。

从这儿走应该有些窑子,梅西埃说。

全是阴森森的,卡米耶说,一点灯光都没有。也没有门牌号码。

我们去问这个善良的警察吧,梅西埃说。

他们上前与警察攀谈。

对不起,梅西埃说,你或许偶然知道,有个院子,在附近的地区,让我怎么说呢,有个妓院?

警察打量着他们。

别这么看着我们,梅西埃说,有卫生保障的,尽可能要有。我们害怕梅毒,我朋友和我都害怕。

像你们这把年纪,不感到羞耻吗?警察说。

您管什么闲事呢?卡米耶说。

羞耻?梅西埃说,你感到羞耻吗,卡米耶,像你这把年纪?

走你们的路吧,警察说。

我抄下您的编号,卡米耶说。

你想要我的铅笔吗?梅西埃说。

1665,卡米耶说,那年闹过鼠疫,很好记。

您看，梅西埃说，放弃做爱，只是因为精子生长缓慢，在我看来，这可真幼稚。您不会想让人没有爱地活着吧，警官，可能只是一个月一次，每个月第一个周六的夜里，比方说？

而且他这儿是我们上缴直接税的地方，卡米耶说。

我要把你们关起来，警察说。

出于什么动机？卡米耶说。

嫖是我们所剩的唯一了，梅西埃说，你们这些快活的人则还有激情和财富。

还有孤独的愉快，卡米耶说。

警察抓住卡米耶的胳膊扭过来。

到我了，梅西埃，卡米耶说。

请您放开他，梅西埃说。

哎哟！卡米耶说。

此时，警察只用一只手抓住卡米耶的胳膊，这只手像普通人两只手一样大，鲜红色盖满了毛，他用另一只手狠狠地抽了他一耳光。这开始让他产生了兴趣。并非每天都有这样的消遣，可以来中断他站岗时的枯燥。这份职业还是有好处的，他常常这么说。他掏出了棍子。去你的，他说，别扯淡了。他用拿着棍子的手从口袋里掏出一个哨子，放到唇边，因为他虽然孔武有力，却不那么灵巧。不过他并没有足够重视梅西埃（梅西埃会因此责备他？），这是他的失误，因为梅西埃抬起他的右脚（也许原本就等着?），然后笨拙但是很干脆地朝对手的睾丸（我们按照学名来称呼事物）踢了过去（不可能踢不准）。警察撒手放开所有的东西，痛苦地、令人恶心地惨叫着倒在地上。梅西埃本人也因此失去平衡，跟跄了一下，狠狠地闪了一下腰。但是卡米耶因为愤怒而开始疯狂，他敏捷地拾起棍子，一脚踢开头盔，用尽全力击打头部，打了好几下，两只手攥住棍子。叫声停止了。梅西埃重新站起身。帮帮我！卡米耶吼道。他狂怒地走向带风帽的斗篷，它正卡在头和铺路石之间。你想干吗？梅西埃说。把他的脸盖起来，卡米耶说。他们抽出斗篷铺在了脸上。然后卡米耶又开始打起来。够了，梅西埃说，把这个凶器给我。卡米耶放下棍子，接着跑开了。等等，梅西埃说。卡米耶停下来。快点，卡米耶说。梅西埃拾起棍子，温和而细致给了头一击，只是一击。像个清煮蛋，他说。谁知道呢，他想，也许是这一下结果了他。他扔掉棍子追上卡米耶，卡米耶抓住他的胳膊。我们就这么走吧，梅西埃说。卡米耶在发抖，但并没有持续很久。到了广场边缘他们不得不停下来，狂风肆虐。然后他们慢慢地，垂着头，摇摇晃晃地走着，彼此抓着对方的身体，在无数的阴影和喧嚣中前进着，在铺路石上跟跟跄跄，一些黑色的枝条已经搭在上面，发出一种刮东西的声响，或者突然会弹起来，就像安放在弹簧上一样。在另一头开始出现一条安静的小街，就像他们刚刚离开的那一条。那里沉浸在一种奇异的安静之中，但是这种安静慢慢地被打断。

我想，他没把你弄得太疼吧？梅西埃说。

真是个王八蛋，卡米耶说，你看到那张脸了吗？

这就把很多事情简化了，我想，梅西埃说。

他们把这叫作保卫和平，卡米耶说。

可能永远不会独立地找到，梅西埃说。

我想现在最简单就是去埃莱娜家里，卡米耶说。

毫无疑问，梅西埃说。

你确定没人看到我们？卡米耶说。

偶然会把事情处理得很好，梅西埃说，说到底我从没有只指望偶然。

幸亏不太远。卡米耶。

你想过这对我们意味着什么吗？卡米耶说。

我看不出这能改变太多，就现在来说，卡米耶说。

这应该不会改变任何东西，梅西埃说，但它将改变一切。

这应该会改变一切，卡米耶说，但它将什么也改变不了。

你会看到的，梅西埃说，花插在花瓶里，羊回到羊圈。

我不懂，卡米耶说。

在剩下不多的路上，他们大部分时间是安静地走着，有时候会迎着风的狂啸，有时候则在安静的区域。梅西埃试着去体会所发生的事情会给他们带来的全部后果，卡米耶则试着在他刚刚听到的句子中找到一个含义。但是他们都无法做到，梅西埃无法设想出他们的幸福，卡米耶无法好好地得出诠释，因为他们累了，他们需要睡觉，风使他们飘摇，祸不单行的是，开始下雨了，雨滴不知疲倦地击打着他们的头。

九

前两章内容的小结

7

第八日（?）的晚上。
在埃莱娜家。
雨伞。
第二天在埃莱娜家。
消遣。
第二天下午，在街上。
酒吧。
梅西埃和卡米耶交谈。
这次交谈的结果。
在埃莱娜家。
第二天中午，在埃莱娜家门前。
雨伞。
看着天空。
雨伞。
再次看着天空。
莱迪史密斯。

雨伞。
再次看着天空。
雨伞。
梅西埃走开。
梅西埃的邂逅。
梅西埃的思想。
链条。

8

同一天。
屁股和衬衫,配图(这一段正文中完全省略)。
倒数第二家酒吧。
教母和人工授精。
梅西埃到来。
身材庞大的酒吧服务生。
梅西埃对普遍现象的纠纷做出的贡献。
雨伞,终。
自行车,终。
在街上。
风。
炉火的旁边。
喷枪和喷管。
风。

教理问答的模式。
宿命的街。
包。
音乐和睡眠。
深渊。
宿命的街。
远远的地方。
宿命的街。
警察。
警察之死。
深渊。
花插在花瓶里。
风。
头的击打。

十

一条依然可以通车的道路穿过高高的荒原。这是旧时的军用道。它穿过广阔的泥炭湿地笔直延伸,在五百米的高度上,如果您喜欢就算一千米吧。它已经荒废不用了。一些废弃的要塞。一些废弃的民宅。海就在不远处,在向东伸展的山谷上可以看到,它不再有色彩,就像天没有色彩一样,它的走向像一条反曲线。在原野的褶皱里藏着一些湖泊,必须离开道路才能看见,一些小径通向这些湖,一些高高的悬崖悬在湖的上方。一切都显得很平坦,或者在平缓的坡上,不过还是要贴着高高的悬崖而过,也无法怀疑它的存在。此外,还有些花岗岩。山脉在西边达到最高点,它的山巅会使最愁苦的眼睛抬起来,从山巅上,可以看到那一望无际的平原,那些闻名的牧场,那个黄金山谷。在它们面前,道路蜿蜒地向南方延伸,看不到尽头。它的地势在抬升,但是看起来不是这样。不会再有人经过这里,除了那些痴迷于壮美风景的人,或者徒步行走的人。在松林中植物的遮掩下,泥炭湿地以一种肉体之躯难以承受的力量吸引着人们。然后它将他们吞噬,或者雾气降落。城市也离得不远,有些地方在夜里可以看到城市的灯火,或者说光线,白天则看得到它的炊烟。在非常晴朗的天气下,甚至还可以看到海港的码头,两个海港,它们小小的港湾延伸到透明无色的大海里,虽然知道码头是水平的,但看上去像是竖立着的。还看得到岛屿和半岛,这要转身找到好的地点才能看到,在夜里看到的当然是灯塔,是一些固定并且可以转动的灯。从这块高原望过去,甚至显出蓝色的天空看上去要更低沉,没有办法找出理由,但这种感觉继续存在。在这儿人们会想到躺下去,躺在一块铺满了枯干的欧石楠的空地上,然后入睡,最后一次,在一个下午。可能会有些阳光,头感受着花茎和花冠精妙的存在,人会很快入睡,会很快脱离那些迷人的事物。这是一片没有鸟的天空,至多有几只肉食的飞禽,没有什么无用的鸟。描述片段结束。

这个十字架是什么?卡米耶说。

又是他们。

一个非常简单的十字架竖立在泥炭湿地当中,离道路不远,但是要看清楚刻着的文字就太远了。

我以前知道，梅西埃说，但是已经忘记了。

我以前也知道，卡米耶说，这一点我差不多可以肯定。

但是他绝对不能肯定。

这是一位同胞的坟墓，他被敌人带到这里，在夜里被处死。或者他们只是把他的尸体带了过来，然后放在这里。很久以后他才入葬，并进行了某种仪式。他叫马斯。民族主义者圈子里的人此后就不再把他放在心上了。事实上，他确实活儿干得不出彩。但他一直有这块碑。这一切，他们都知道，梅西埃和卡米耶，可能还知道很多别的事情，但是他们都已经忘记了。

这令人恼火，卡米耶说。

你想我们过去看看吗？梅西埃说。

你觉得呢？卡米耶说。

随便你，梅西埃说。

他们在离得最近的灌木丛里削了些棍子。他们前进的步伐很不错，对老年人来说。

梅西埃今天感觉怎么样啊？卡米耶说。

凭良心说，梅西埃说，我感觉不再坏了。卡米耶呢？

我没什么可抱怨的，卡米耶说。

他们暗想谁会第一个摔跤。他们安静地走

了足足一公里。他们没有再相互挽着胳膊。每个人都自由地在他那一边的路上走着，这使他们之间的距离差不多是整个道路的宽度。他们同时开始说话。梅西埃说，你有时会不会感觉……？卡米耶说，是不是有些虫子……？

对不起，卡米耶说，你刚才说什么？

不，不，梅西埃说，你来说吧。

不，卡米耶说，我说的话没意思。

没关系，梅西埃说，说吧。

我向你保证，卡米耶说。

请你说，梅西埃。

你先说，卡米耶说。

我打断你了，梅西埃说。

是我打断你了，卡米耶说。

没有，梅西埃说。

是的，卡米耶说。

又重新安静了下来。梅西埃打断了安静，或者说是卡米耶。

你着凉了吗？梅西埃说。

卡米耶的确咳嗽了。

确定这一点太早了点，卡米耶说。

我希望这没事儿，梅西埃说。

多好的天气啊，卡米耶说。

是吧？梅西埃说。

荒原多美啊，卡米耶说。

非常美，梅西埃说。

给我看看这个欧石楠，卡米耶说。

梅西埃卖弄地看着欧石楠。他吹起了口哨。

在下面有泥炭，卡米耶说。

好像从来没有，梅西埃说。

卡米耶咳起来。

你咳得像个不行了的人，梅西埃说。

你觉不觉得有些虫子，卡米耶说，好像在地里似的？

泥炭是有一些特别的个性的，梅西埃说。

啊，卡米耶说。

它能储存东西，梅西埃说。

但是有没有虫子呢？卡米耶说。

你想挖一挖来看看吗？梅西埃说。

你想什么呢，卡米耶说，什么想法啊。他咳了起来。

的确，天气很好，最起码在这个国家，人们称它为好天气，但是也带着凉意，而且夜之将至。

我们在哪儿过夜？卡米耶说，你想过这个吗？

很滑稽，梅西埃说，我常常感觉到我们不是孤单的。你没这么感觉过吗？

我不知道我是不是听懂了，卡米耶说。

有时候挺活跃，有时候慢吞吞，这就是卡

米耶。

就像有个第三者存在,梅西埃说,这种存在笼罩着我们。我从第一天起就感觉到了。不过我仅仅是个通灵论者。

这让你不安?卡米耶说。

一开始时没有,梅西埃说。

现在呢?卡米耶说。

开始让我有些不安了,梅西埃说。

是的,夜之将至,这对他们来说是件好事,尽管他们可能自己还并不承认,承认夜之将至。

说到底,你是谁,卡米耶?梅西埃说。

我?卡米耶说,我是卡米耶,弗朗西斯·格扎维埃。

这太少了,梅西埃说。

你对谁说这个呢?卡米耶说。

我可以对我自己提出同样的问题,梅西埃说。

我们想在哪儿过夜?卡米耶说,披星露宿?

这对我们也不坏,梅西埃说,经过我都不知道连续几个夜晚住在埃莱娜家之后。你还操她吗?

我试过,卡米耶说,但我并不专心于此。

你做爱太多了,这段时间以来,梅西埃

说。你不感到羞耻吗,像你这把年纪?你会发炎的。

的确,我的龟头是红的,卡米耶说,这是个恶性循环。

应该涂点药膏,梅西埃说。

我不敢碰那儿,卡米耶说。

你的囊肿呢?梅西埃说。

别对我说这个,卡米耶说。

它没回到洞里,至少,梅西埃说,就像你在某时某刻担心的那样?

它一直看守着洞的入口,卡米耶说,它每天都在长大,但它与二十年前相比离洞并没有近多少。你试着去明白一些东西。

泥炭的水对这些东西来说非常好,梅西埃说,你只需要坐在里面。这还可以同时让你把管子清洗一下。

连棵树都没有,有必要说它吗?这样更为谨慎。这里的绿洲是蕨。

我们会冷的,卡米耶说,潮湿会进入我们的骨髓。

有些废墟,梅西埃说,或者我们接着走,直到筋疲力尽。与不测的风云做斗争,没什么能比这样更好了。

走了一段距离后,他们到达了一个房子的废墟前,如果不是一个要塞的话。这些废墟应该差不多有半个世纪了。可能再走很久也不会找到别的废墟了。差不多已经入夜了。

现在必须选择了。梅西埃说。

选择什么？卡米耶说。

在废墟和筋疲力尽之间选择，梅西埃说。

没办法合二为一？卡米耶说。

我们到不了后面的废墟，梅西埃说。

很简单，卡米耶说。

似乎是，梅西埃说。

我们只要再接着走一段，卡米耶说，直到我们认为恰好还有足够的力量回到这儿的时候。然后我们掉头回到这里，在废墟前面，完全筋疲力尽。

这样很危险，梅西埃说。

你有什么更好的办法吗？卡米耶说。

也许可以在这儿跳跳舞，梅西埃说，其实，就是做一些不论什么形式的比较剧烈的运动。这样我们就不会冒任何风险。我们只要筋疲力尽，肯定就会倒下，倒在废墟的庇护中。

我可以再在路上走一段时间，卡米耶说，但是我可能一下子也跳不动了。

那么，就简单地散散步吧，梅西埃说。

在走到尽头之前，想早一点睡觉的诱惑，想就这样算了的诱惑，可能强烈得使我们自己都无法控制，卡米耶说。

你的计划还是充满了陷阱,梅西埃说,疲劳是一件奇怪的事情,特别是在它最后的阶段,是一种混合式上升直至疯狂,对此完全无法了解原因何在。何况夜色渐深,它会把我们带到泥坑里面。

严肃一些,卡米耶说,说到底,我们会冒什么险?

显然,梅西埃说。

他们于是又重新开始走,如果可以称之为走。

有那么几次,卡米耶说,和你说话倒真是有乐趣。

说到底,我不是坏人,梅西埃说。

过了一段时间后梅西埃说:

我想我不能走得太远了。

这就不行了?卡米耶说,是腿的问题?还是因为脚?

主要是因为头,梅西埃说。

已经是黑夜了,道路在几米之外就看不见了。等星光亮起来还太早。月亮也要等很久才会升起来。说到底是最黑暗的时候。他们停了下来。他们在路两边彼此几乎看不见。卡米耶靠近了梅西埃。

我们回去吧,卡米耶说,趴在我身上。

是脑袋的问题,我对你说了,梅西埃说。

你看到一些不存在的影子,卡米耶说,一些灌木,比方说,其实这里什么也没有。或者一些奇怪的动物突然出现,巨大的牛或者马,色泽鲜艳,他们从黑暗中突然出来,你只要一抬头,就能看见一些高高的谷仓和广阔的草垛。这一切越来越模糊而且软绵绵的,仿佛因为视觉人们才变得盲目,哈哈,盲目的视觉。

你可以抓着我的手,如果你愿意的话,梅西埃说。

于是他们手拉着手往回走,是大的手放在小的手里面。

你的手很湿,梅西埃说,而且你在咳嗽。你也许得了老年肺结核。

他刚说完就开始后悔,而且在发抖。他担心这种出击——不过卡米耶并没有回击他——会因此迫使他去理解,去回答,或者导致一种不合时宜的安静,他后悔把自己陷入这样的两难境地。蠢话,后悔,解释,担心,谴责,道歉,此外有时候还有,很少但有时候会有,未得到惩罚的错误造成的一片和平,因为卡米耶保持着沉默,这让人会想是不是他没有听见。他可能比他自己所承认的要累得多,差不多和梅西埃一样接近他体能的极限了。能给予(对所有人来说都是一种珍贵的给予)这种看法一些真实性例子的,就是在这之后不久梅西埃不得不将同一句话连续重复两三遍，卡米耶才能产生意识。这句话是：

我希望没有走过那个破房子，梅西埃说。

卡米耶没有回答。

我希望没有走过那个破房子，梅西埃说。

什么？卡米耶说。

我说我希望我们没有走过那个破房子，梅西埃说。

卡米耶没有马上回答。在生活中有些时候，最简单最清晰的词语需要一些时间才能展现出它们所有精彩之处。破房子还很模糊。但是最终他们的脚步突然中断了，这个筋疲力尽的小人儿已经有了所谓的行动方向。

它离开道路有些距离呢，梅西埃说，我们可能已经从它面前经过却没有看到它，因为夜是这样黑，至少我是这样假设的。

我们也许看到了那条小径，卡米耶说。

我觉得可能，梅西埃说，至于我，直率地说，我什么也看不见了，看不到路，看不到我习以为常的脚，我的腿，还有我的胸（的确有些含胸）。也许看得到几根胡子，我们直率点吧，偶尔，它在这种情况下还是相当白的。就算某天晚上有个盛大的宴会，我们从 Scala[①]

---

① 意大利语，意为台阶、阶梯。

前面走过去，我也会什么都没注意到。我亲爱的卡米耶，你现在凭着你一贯的善良正牵着的东西，已经是个废物了。

我，我刚才分心了，卡米耶说，这是不可原谅的。

你总是有理由辩解，梅西埃说，各种辩解，毫无例外。关键是别撒开我的手。失望的磨砺也不会让你找不到辩解，就当时而言，这是好事，但是别撒开我的手。

的确，一些东倒西歪的动作正使卡米耶晃动不已。

你完蛋了，我可怜的卡米耶，梅西埃说，承认吧。

你会看到我是不是完蛋了，卡米耶说。

你的小屁股不舒服了，梅西埃说，还有你的小阴茎。

不要回头，卡米耶说，无论发生什么。

好极了，梅西埃说，我受够了我们像犯恶的蝴蝶那样扑腾。但是我是从哪儿得到说话的力量的呢？你可以对我说说吗？

卡米耶差一点要说出来，往前走，但是他及时地控制住了。因为既然他们达成一致不要回头，既然地面的自然情况也不允许向左或者向右走岔道——除非发生了不幸，他们能往哪儿走呢——除非发生了不幸，如果不是向前的话?他于是只管往前走,拉着在他身后的梅西埃。

试着保持和我同样的高度,卡米耶说,以上帝的名义。

你应该高兴些,梅西埃说,因为你不必被迫背着我。趴在我身上,这是你对我说的。

的确如此,卡米耶说。

我拒绝了,梅西埃说,为了不让你负担太重。当我步子稍微拖延一会儿,你就开始高声喊叫。这种举止是什么意思?

很快他们只能摇晃着蹒跚前行。但是蹒跚前行也走得很好,当然比不蹒跚前行要差一些,特别是要慢一些,不过总还是在前行。他们走到了泥炭湿地里,对他们来说,这应该会造成很严重的后果,但是没办法。开始摔倒了,有时是梅西埃拉着卡米耶(和他一起摔倒),有时是反过来,有时是他们两个人同时摔倒,就像只有一个人一样,并不是步调一致,而是完全一个一个分开摔倒。他们并非总能马上重新站起来,年轻的时候他们打过拳击,可那时他们总能马上重新站起来,没办法。在最糟糕的时候手还是忠诚的,手已经搞不清楚究竟是哪一只在握哪一只被握了,因为一切都变得如此模糊。他们的不安(对于废墟的不安)应该是很严重了,但很遗憾,因为并不成立。因为他们最终还是到了那儿，来到这些他们担心走过了的废墟前面，他们甚至还有力气走到最隐秘的地方，直到他们每个方向都能有遮挡，就像被埋起来一样。于是只要能躲避他们不再感觉到的寒冷，能躲避并没有打搅他们的潮湿，他们就可以接受休息，或者说睡眠，而手自由了，回到了老模样。

夜还有冰映照着，夜，冰，夜在冰中，形成了无数却无益的景象。他们肩靠着肩睡着，是老人的深沉睡眠。他们还在对话，但看上去，这是偶然的效果。可是他们曾经用别的方式对话过吗？再说再也无法确切地知道什么。这可能是结束的时候了。无论如何结束了。但是还有日子，所有的日子，整个生活生命，人们对这些了解得很清楚，死后漫长的滑行，正在平静下来的阴郁的纷扰，某一刻的光明，遗体的尘埃，抬起，转圈，停落，完满。这些也在自我表白着。因此我们让他醒来，梅西埃，卡米耶，这不重要，卡米耶吧，他醒了，夜色正浓，始终很浓，他不知道时间，我们也不知道，这不重要，夜色正浓，他站起身来，在黑暗中走远，过了一会儿他躺了下来，依然在废墟里，没必要强调这一点，废墟的面积是很大的。为什么？无法知道。无法知道这些事情。换个位置是从来都不缺少理由的。应该是很好的一些理由,因为同样的事情也发生在梅西埃身上,可能是差不多同时。先来后到的问题,直到现在还很清晰,此时却完全不再清晰。他们于是躺下来,或者说仅仅是蹲下来,以一种彼此相互尊重的距离,换句话说就是从普通亲近角度看起来的距离。他们现在重新昏睡起来(很奇怪突然用了现在时),或者他们也许只是在思考。思考之后,他们必然昏睡,这一点完全可以相信。依然是在黎明之前,离黎明还很久,他们中的一个又站起身来,比方说是梅西埃,轮流来吧,他起身看看卡米耶是不是一直还在那儿,也就是说他认为和他分开的地方,也就是说他们最初躺下来的地方,一个人躺在另一个人身边。清楚吗?遗憾的是,过一会儿,并没有一个坐收渔利的第三者会在某个地方,带着一种隐隐像基督的味道,极为人道地在圣餐杯前死去。但是卡米耶不在那儿,因为他怎么会在那儿呢?于是梅西埃想,瞧啊,他抢先了,该死的卡米耶,他穿过废墟抄了一条近道,睁大着眼睛(为了看到光线能照到的一切),胳膊像昆虫的触角一样摆动着,脚步很留神,来到通向大道的小径,在小径上攀爬着。(废墟是建在低处的,是不是看出来了?)差不多同一时刻,但并不准确,这样行不通,但是差不多,可能早一点,可能晚一点,这不重要,或者重要性非常小,卡米耶也干着同样的事情。靠,他心想,他一点也不跟我讲礼貌,他溜了,而且非常小心,生活是如此珍贵,痛苦是如此可怕,老皮是如此难以修复,除了这种朋友的暧昧之外,似乎有种曼坦尼亚①作品的氛围,没有一句话,没有一个感谢的动作。不去感谢石头,真是搞错了。说到底,事情差不多就是以这种方式进行下去的。他们于是又在路上了,不管怎么说明显又有了活力,每个人都知道对方就在近处,感觉得到,也相信这一点,却又担心,又希望,否认它却又无能为力。偶尔他们停下来,竖起耳朵听脚步声,那些在各种脚步中可以识别出来的脚步,脚步多种多样,踏在地面的各种道路上轻轻地走着,日日夜夜。但是在夜里会看到一些不存在的东西,听到不存在的东西,这是个确定的事实,会产生一些幻觉,的确没必要去在意。但是还会去在意,上帝是知道的。以至于两个人当中的一个会停下来,坐在路的边沿,差不多是坐在泥炭湿地里面,为了休息,或者为了更好地思考,或者为了不再思考,停下来是从来都不缺少理由的,走在后面的另一

---

① 曼坦尼亚(Mantegna,1431—1506),意大利文艺复兴时期画家,代表作品《死去的基督》。

个人赶上来,看到了这种索尔代尔①的身影,但是无法相信,或者无法足够地相信,既不能投身到他的双臂中,也不能给他一脚让他脑袋冲下屁股朝上地栽到泥炭湿地里。坐着的人也是,他看到了,除非他闭上了眼睛,但无论如何他听得到,除非他睡着了,然后他自以为产生了幻觉,但并不能确信。过了一会儿坐的人站起身来,另一个人坐下来,然后依此类推,您看到这套把戏了,他们可以这样一直走到城市,相互否定,相互肯定,直到白热化。因为当然他们是走向城市,就像每一次他们离开城市那样,就像在经过漫长徒劳的计算后,脑袋重新耷到数据里那样。但是在向东伸展的山谷深处,天空在变化着,是这个老猪头似的太阳又回来了,就像个刽子手一样准时。注意,我们将重新看到地面上的光辉,重新看到彼此,比这还更滑稽的是,到了夜里又会什么也没改变,这只是 panspermoconnerie② 的背面,幸亏它有个背面,是的,只要是兄弟都可以证明(如果有疑问的话),所有的兄弟,还有恶心和老年风寒等等。于是他们相互看到了,您想

---

① 索尔代尔(Sordel,1220—1269),法国行吟诗人。
② 意为荒诞,从词根上看,pan-表示全,spermo-指精液,connerie 意为蠢事。

怎么样呢，他们只能早点出发，但是对此我们知道吗？现在轮到谁了，是卡米耶，那么捣蛋鬼你转回来，好好地看。你不会相信你的眼睛，这不要紧，你会相信它们的，因为是它，你的漂亮的心肠，上面长着胡子，长着骨头，疲惫不堪的，完蛋了的，像扔石头一样，但是别扔，你想想美妙的旧时光吧，那时你们一起在狗屎里打滚。梅西埃同样走向事实，这是一种人们的习惯，就像公理一样，卡米耶抬起手，没有危险，很优雅，很多情，完全是友善的。在回敬这一问候之前，至少这是意料之外的，梅西埃犹豫了，卡米耶现在则利用这个时间来继续走他的路。接下去就一直使用现在时了。可是即便是死人，人们也会向他们问候，无可厚非，这甚至常常见到，死人们无法受用，但是这对装殓和埋葬尸体的人来说是好事，这有助于他们装殓和埋葬，这对朋友、亲人还有马来说也是好事，这有助于他们相信自己还活着，对那位问候的人来说这也是好事，这是能带来生机的。梅西埃没有惊惶不安，没有，他也抬起了自己的手，正确的那一只，不同的那一只，做着总督才有的那种幅度很大、出于好意的无私的手势，就像将一些上等的物质呈奉给上帝一样。我是多好啊，梅西埃说，比他所看到的我更好。不过结束这些谵语吧，卡米耶到了第一个岔路口（荒原已经走过），当时他停了下来（最后用一个小小的过去时），当时他的心跳得更猛烈了（还有一个过去时），在他想到他在这个神圣得像怀胎一样的问候中所蕴含的内容时，从这个问候中迸发出一些前所未有的体贴。已经是真正的乡村了，活生生的（活生生的!）篱笆，烂泥，粪水，水塘，悬岩，牛粪，简陋的小屋，渐渐地还看到一个毫无疑问是人的生命，一个像是假人形状的真正的人，在一大早吃了最初的几片面包皮之后，正在扒着他那一小块土地，或者就在原处换厩肥，他用着一把锹，因为他丢了他的铲子，他的叉子也坏了。一棵大树，一团黑色的枝杈，位于岔路口的角上。有两条分岔路，左边那条直通城市，总之指的是在这个国家里被称作的直通，而另一条分岔路要经过突然出现的一个个小村庄才能到达城市，这些小村庄充满着疫气，本来应该放把火烧掉的，可人们可以拼命地通过各种办法（其中包括这个漫画式的道路）将村庄保存下来，可能是预计到，只要不完蛋，总会有那么光荣的一天，城市和它们连接在一起。来到这个交会处后，卡米耶停下来转过身子，这使得梅西埃也停下来半转过身子，准备逃走，有必要把这个说两次吗？但是他没有必要不安，因为卡米耶只是简单地抬起了手,问候了一下,这个问候从各方面都类似于他之前那样好心慷慨做出来的问候,然后伸出另一只手,这只手僵硬可能还在颤抖,指向右边的分岔路,随后带着一种英雄气概冲了进去。他本来应该跑进一个在火中燃烧的房子,这里房主一家三代人等着被救出来,而他也义不容辞。梅西埃放心了,但是还没有完全踏实,他小心地前进到岔路口。他向右边看去。卡米耶已经消失了。他走进了左边的分岔路,脚步速度加快。两个人摆脱了!事情差不多就是以这种方式进行下去的。大地向光明绵延而去,短促的又太长的光明。

十一

好了。花点时间来大概了解下究竟发生了什么吧。这是唯一的道歉,无论如何也是最好的。这期间是些生活所用的事物,说得认真一些,有用来起床的事物,用来穿衣服的(非常重要),用来吃的,用来排泄的,用来在好天气时散步的,用来脱衣服的,用来睡觉的,还有用来做别的事情,并且承受别的事情的,罗列这些可能会比较令人厌烦,是的,比较令人厌烦。然后还有个八,命中注定的数字(但是什么数字不是命中注定的呢),每只脚用两个,每只手用两个,对截过肢的人来说,这个数字可能是六、四、二或者是零,这要看截肢的情况。在这种情况下,兴趣就不会有降低的危险。人们开发着自己的记忆,最终记忆变得可以通行,一个宝库,人们在它的密室里闲逛,没有蜡烛,人们重新来到这些地方,回想起那些声音(非常重要),最后把这些声音记在心里,人们再也搞不清脑袋该放在哪儿,鼻子、眼睛和耳朵又该干什么,搞不清该扑到哪一具遗骸上,这些遗骸每一具都散发着同样美妙的气味,搞不清放的是哪张唱片。啊,美丽的墓中景象!再说您还可能再遇到这些事物,这些奇遇!是的,是的。您以为已经了结了,接着,某一天,啪的一下,正好打在眼睛上。或者在屁股上,或者在男人的私处,或者在女人的私处,目标是不会缺少的,特别是在皮带下方。说什么因此会有一些烦人的尸体!这是多么麻木不仁啊!复仇!复仇!

显然,这令人疲倦,但这也吸引人,精心打扮灵魂,时间也许不够,但是人们不能什么都拥有,糊状的肉体,鲜活的意识,还有生命本源的地心之火仿佛在未开化的年代,在坠落之前,没有安全网,是的,这是个事实,对永恒来说,时间不够。

然而有一种抑郁很难避免。就是对带来忠告的夜晚的等待,因为并非每个夜晚都拥有这样的属性。这种等待可能会持续几个月。这是一种中间状态,漫长,孱弱,令人厌倦,混合着遗憾——最后的遗憾——和坚定,人们经历了一千次,这滑稽得会令人笑弯腰,但人们无法弯腰,无法将自己溶解在微笑了一千次的微笑中。这是一天的尽头,快到尽头的时候,药剂不再对您有什么用了。幸亏这并非始终永恒的，一般来说它只持续几个月，几年，人们甚至还看到过突如其来就到了尽头，比方说在一些炎热的国家。此外并不一定没有间歇，消遣并没有明确禁止，没有，有些消遣甚至会给您带来一种真实的生活的幻象，不会完蛋的幻象，因为他们存在着，一天一天存在着。甚至不必到这一步，它们就会让您放松，放松一点，消遣，某些消遣，那些被允许的消遣，因为他们存在着。

还有一些漂亮的色彩，绿色还有正在消亡的柠檬黄，就让我们跟着潮流吧，它们继续暗淡下去，但这是为了更好地刺穿您，它们的颜色有一天会消失殆尽吗，是的，是的，它们将消失殆尽。

加上这个吗？就这些了，谢谢。

从外面看，这是一个与其他很多房子类似的房子。从里面看也是如此。卡米耶从房子里出来。他还会散一散步，当天气好的时候，就会散一小会儿步。当时是夏天。可能会更喜欢秋天，十月末，十一月初，但当时是夏天，没办法。太阳正在落山，在开始唱古老的行吟歌①之前，琴弓开始演奏和弦（人们会问为什

---

① "行吟歌"（enueg），中世纪奥克语文学体裁。贝克特曾有 *Enueg I* 和 *Enueg II* 两部诗作。

么)。卡米耶衣衫单薄地向前走,头搭在胸前。他有时会重新挺起身子,以一种突如其来却又马上中止的动作,原来这是在辨认方向。他自己感觉不是太差,这一天对他来说不错。行人们将他挤来挤去,但不是存心的,不是,不是存心的,他们本不想碰他。他转了一圈,他只转了一圈,他很快就累了,非常累。于是他停下来,他将混着蓝色和红色的小眼睛睁得大大的,向自己四周扫视着,就好像是在瞄准。回去的力气,常常有些不够,这使他不得不走进遇上的第一家酒吧,为了重新给自我一些力气,为了给自己一些信心,信心和勇气,来面对返回的道路,而对于这条路他常常只有一个模糊的概念。他拄着拐杖,每走一步就用它来敲打地面,而不是每走两步,是每走一步。一只手搭在肩膀上。卡米耶停下来,把身体蜷缩到很小,但是没有抬头。这对他来说无所谓,这样甚至更好,更简单,但是这并不是把视线从地面挪开的理由。他听人说过,世界真小。有人用手指托起他的下巴。他看到了一个身材高大的人,衣服很脏。这没必要细说。他看上去有些年纪了。他发出一些不好的味道,老人的气味再加上不洗澡的气味,总而言之气味很重。卡米耶带着一种警觉的兴趣,闻着这种气味。

你认识我的朋友梅西埃，那个人说。

卡米耶徒劳地用眼睛寻找着。

在你后面，那个人说。

卡米耶转回身。梅西埃似乎全身都在一个陈列着帽子的橱窗里，只露出了侧影。

请允许我介绍，那个人说，梅西埃，这是卡米耶，卡米耶，这是梅西埃。

似乎这是两个什么也不缺的瞎子，如果说只缺了视力的话，这样彼此有个概念，而不存在欲望，也不存在对身体的支配。

我看得出你们互相认识，那个人说，我确信这一点。你们千万别打招呼。

我不认识您，先生，卡米耶说。

我叫瓦特，瓦特说。我的确是很难被人认识的。

瓦特？卡米耶说，我想不起来这个名字。

我很少为人所知，的确，瓦特说。但我总有一天会出名的。我并不是说人所尽知那样的闻名，比方说，很难有机会使我的声望让伦敦或者库克-图尔扎城①的居民知道。

您在哪儿认识我的？卡米耶说，请您原谅我记性不好。我还没有时间把一切搞清楚。

---

① 库克-图尔扎（Cuq-Toulza），法国南部比利牛斯大区塔恩省的城市。

很乐于回答你的问题,瓦特说,是在襁褓里看到你的。

您得承认,您这样说我很难揭穿您的谎言,卡米耶说。

没有人要你来揭穿我的谎言,瓦特说,对我而言,的确很难在这么短的时间内两次听到同样的蠢话。

您在我看来完全陌生,卡米耶说,您刚才说是在襁褓里?

在你的小摇篮里,瓦特说,你没有变。

这么说你认识我母亲?卡米耶说。

一个伟大的女人,瓦特说,她每两个小时给你换一次尿布,直到你五岁。他将身体转向梅西埃。而你的母亲,他说,我直到她去世才认识她。

我认识一个叫莫尔菲的人,梅西埃说,他有些像您,不过年轻得多。但他已经死了,十年前,死时的情形很神秘。人们从来没有找到过他的尸体,您想想看。

您也不认识他?卡米耶说。

看看,看看,瓦特说,重新用你来称呼吧,我的孩子们。在我面前别拘束。我是个严守秘密的人。一个坟墓。

先生们,卡米耶说,你们可以允许我和你们告别吗?

如果我不是欲念全无的话,梅西埃说,我会给自己买这些帽子中的一顶,戴在我的头上。

我请你们喝一杯,瓦特说。他又补充说,孩子们,笑一笑,没有恶意的笑,类似于温和的笑。

真的……卡米耶说。

逃亡的奴隶,从形式上看,梅西埃说。

瓦特抓过梅西埃的右胳膊和卡米耶的左胳膊(经过短暂的争斗后),拉着他们就走。

我们还要去哪儿?卡米耶说。

梅西埃发现远处那些他童年记忆中的链条,那些他曾经当过玩具的链条。瓦特对他说:

如果你抬起脚,你就能更好地前进。我不会把你带到牙医那儿,今天不会。

他们面对着夕阳而行(不能一切都拒绝),夕阳的光辉照耀在比高高耸立的房屋更高的地方。

遗憾的是大仲马无法看到我们,瓦特说。

或者某个福音书作者,卡米耶说。

梅西埃和卡米耶,仍然是别样的个性。

梅西埃以一种颤抖的假音说,要是有些灵柩车通过,我就把它给拿掉。

我的力气不够了,卡米耶说,就算你们

还行。

我们就快到了,瓦特说。

一个警察拦住了他们的去路。

这儿是人行道,不是马戏场,他说。

这是一位注定会被迅速提拔的警察,这很明显。

这关您什么事儿?卡米耶说。

让我们安静些,梅西埃说。

和气点,和气点,瓦特说。他走向警察。警官,他说,您别生气。他们有点……(他轻轻拍了拍前额)但是他们连只苍蝇都不会碰。高的那个以为自己是施洗者圣约翰,您一定听说过;矮的那个既以为自己像尤利乌斯·恺撒,又以为自己是杜桑·卢维杜尔①。至于我,我保持着自己出生时就有了烙印的角色,这个角色具有很大的空间,赋予我很多使命,其中包括在天气允许的时候,带着这两位先生散散步。和气点,和气点。在这样的情况下您会告诉我,我们很难根据礼节的需要,做到排着队走。

你们去乡下散步吧,警察说。

我们试过,瓦特说,试过好几次。但是他

---

① 杜桑·卢维杜尔(Toussaint Louverture,1743—1803),海地解放革命先驱。

们只要看到一块田地，就会完全暴躁起来。这是不是很奇怪？而橱窗、混凝土、沥青、人群、霓虹灯、扒手、警察、妓院，邦迪①这种大城市的所有喧哗，会让他们平静下来，给他们带来能够好好休整的一个夜晚。

你们不能占着人行道，警察说。

注意，瓦特说，您看到，他们开始激动了。我想我是不是该去控制他们一下。

你们使善良的人们无法通行，警察说，不能一直这样子。

当然，瓦特说，会给您解决这件事情的。您会看到的。他松开他们的胳膊，挽住他们的腰，贴着自己搂紧他们。前进吧，我可爱的家伙们，他说。他们重新出发，跟跟跄跄，腿交织在一起。警察看着他们远去。浑蛋，他说。

您捉弄我们，卡米耶说，放开我。

但是这样很好啊，瓦特说，我们的鼻子能清楚地闻到腐烂的气息，三个人都可以。你们看到他的头了吗？他控制着不把鼻涕擤出来。是因为这个他才让我们走了。

他们倒在一家酒吧里，横七竖八地，卡米耶和梅西埃朝吧台走去，但是瓦特让他们坐下

---

① 邦迪（Bondy），可能指巴黎郊区塞纳圣德尼省的邦迪城。

来，坐在一张桌子旁，他以响亮的声音点了三杯双份的酒。

你们可能会对我说，你们从来没有来过这个地方，他说。随意点。我不敢要啤酒，那样别人会把我们赶出门的。

威士忌到了。

我也是，我也寻找过，瓦特说，一个人寻找，我当时想只有我自己知道是什么。你们想想看！他抬起双手从脸庞上抚下来，然后慢慢沿着肩膀往下落，再沿着前胸，来到了他的膝盖。令人难以置信，但的确如此，他说。

一些断断续续的肢体在灰蒙蒙的空气中动来动去。在喧哗声中，偶尔会出现极为短暂的死一般的沉静。

它将诞生，它已经在我们当中诞生，瓦特说，一无所有的人也一无所求，除了人们把他拥有的无给他留下来了。

梅西埃和卡米耶只是无精打采地听着这些话。他们开始相互打量，带着一种熟悉的眼神。

我差一点把自己交待了，卡米耶说。

你回到那个地方了？梅西埃说。

瓦特搓着自己的双手。

你们让我很高兴，他说，你们让我如此高兴。你们可以说让我振作了。

然后我想……卡米耶说。

你们可能会感受到，有那么一天，瓦特说，此时此刻我所感受到的。但这并不能阻止你们徒劳地去经历，但是这会是，我怎么说呢……？

然后我想，卡米耶说，你可能有同样的想法。这样你明白了。这不是我唯一的理由，只是我想到的第一个理由。

你没有回到那个地方？梅西埃说。

是已经老去的心的一点热情，瓦特说，对了，已经老去的心的一点热情。

我本来会回去的，卡米耶说，去看上一眼，但是我害怕碰到你。这杯威士忌真不错。

瓦特用力地拍了拍桌子，这使大厅令人惊讶地安静下来。可能这正是他想要的，因为他大声叫道，以一种用猛烈都不足以形容的方式：

等着枪毙的生活！

响起了一些充满愤怒的嘀咕声。经理走了过来，至少这不是老板。他的装束很考究。因为他穿的长裤是白色的，可能人们都会选择黑袜子，而不是他穿的黄袜子。但是无论如何他是在自己的地盘。在翻领的饰孔上，他插了一朵郁金香。出去，他说。

从哪儿？卡米耶说，从这儿吗？

滚,经理说。这应该是个经理。但他和加斯特先生区别是多么大啊!

他刚刚失去了他的独子,卡米耶说,他在世上唯一的孩子。

双胞胎,梅西埃说。

他的痛苦发作了,卡米耶说,有什么比这更自然的呢?

他的妻子要死了,梅西埃说。

我们一步都不能离开他,卡米耶说。

再来个双份吧,梅西埃说,如果我们可以让他吞下这个,他就得救了。

没有人能比他,卡米耶说,更加热爱生活,每一天谦卑地生活,单纯地快乐直到痛苦,使我们可以完成赎罪。把这个情况告诉这些先生。他刚刚发出了一声反抗的叫声。他的死期快到了啊!明天,当他面对着他的麦片粥时,他就会羞愧的。

到时候他会擦擦嘴,梅西埃说,他把餐巾放进套餐巾的圆环里,两只手交叉在一起,叫起来:"那些正在死去的死人是幸福的!"

如果他打碎了一只杯子,卡米耶说,我们会首先谴责他的。但是情况不是这样。

请您忘了这个事故吧,梅西埃说,他不会重犯的。不是这样吗,托托?

一笔勾销吧,卡米耶说,圣马太是这样

说的。

让人给我们再上点同样的东西吧,梅西埃说,你们的威士忌真甜美。

很久我都没喝过这么好的威士忌了,卡米耶说。

来个双份果酒?经理说。

来份双胞胎,卡米耶说。

是的,梅西埃说,一切都是双的,除了屁股。后天我们就葬了他。不是这样吗,托托?

是组织导体在里面完蛋了,卡米耶说。

组织导体?经理说。

每只蛋都有个逗它乐的小东西啊,梅西埃说,您不知道?它也会晕头转向的。这让您惊讶?

让他安静下来,经理说,别逼着我用暴力。他走了。他一贯很坚定而不僵化,很有人道精神但保持着尊严,他懂得如何在他熟悉的人面前证明自己,这些人大部分是屠夫,对这些人来说,羊羔的死不会让他们宽容。

有人给他们带来了第二份免单的酒。第一份找回来的钱还在桌子上。您自己取钱吧,我的朋友,卡米耶说。

经理从这一堆人走到那一堆人当中。慢慢地,大厅里又出现了生气。

怎么可以说这样的事情?卡米耶说。

想到这样的事情就是犯罪了,梅西埃说。

还当着一些人的面,卡米耶说。

还有一些畜生,梅西埃说。

只有上帝会找出理由,卡米耶说。

看这家伙,梅西埃说。

瓦特似乎睡着了。他没有碰他的第二杯酒。

来点水?卡米耶说。

让他安静吧,梅西埃说。

梅西埃站起身走到窗户旁边。他把头探到窗帘和窗户之间,这使他可以像他预计的那样看到天空。天空还残留着色彩。他同时发现,他原来并没有料到,天空正落着雨,很小也可能很轻柔。窗户没有被打湿。他回到桌子边重新坐下来。

你知道我常常会想到什么吗?卡米耶说。

下雨了,梅西埃说。

想到山羊,卡米耶说。

梅西埃困惑地看着瓦特。

你想不起来吗?卡米耶说。晨曦破晓,天气并不如意。

我在哪儿见过这个家伙?梅西埃说,他把他的椅子往后拖了拖,低下身子,从下方看着在帽子下面的那张仿佛被碾过的塌脸。

老马登,他也是……卡米耶说。

突然瓦特抓住了卡米耶的拐杖，把它抽出来，再举起来，愤怒地敲打着旁边的那张桌子，在这张桌子前，在一个被好好端着的大啤酒杯前面，一个蓄着髯须的男子正读着报纸，同时抽着烟斗。该来的事情终于来了，小玻璃桌碎片四溅地飞了起来，拐杖断成了两截，啤酒杯摔了出去，蓄着髯须的男子向后倒去，只是仍然坐在椅子上，烟还在嘴里，报纸也还在手中。拐杖的另一段还留在瓦特手上，他把它扔向吧台，它在吧台又打翻了几瓶酒和很多杯子。瓦特等着各种撞击声平静下来，然后大声骂道：

厕所里的生活！

梅西埃和卡米耶仿佛被这同一套把戏震动，他们迅速喝光了他们的酒，跑了出去。到了外面他们转过身来。一声闷吼把各种喧闹压住了片刻：

奎因万岁！

下雨了，卡米耶说。

我对你说过了，梅西埃说。

那么再会，卡米耶说。

你不想陪着我走段路？梅西埃说。

你往哪边走？卡米耶说。

我现在住在运河的另一边，梅西埃说。

这和我不顺路，卡米耶说。

那儿有道风景值得去看，梅西埃说。

这会让我吃惊的，卡米耶说。

随你的便吧，梅西埃说。

没开玩笑，卡米耶说。

去喝最后一杯，梅西埃说。

我没钱，卡米耶说。

梅西埃把手伸进衣袋。

不，卡米耶说。

我有钱，梅西埃说。

不，我对你说了，卡米耶说。

就像是昙花一样，梅西埃说，半个小时就结束了。

我再也不对什么运河感兴趣了，卡米耶说。

他们安静地走着直到街的尽头。

从这儿往右边走，梅西埃说。他停了下来。

你怎么了？卡米耶说。

我停下来了，梅西埃说。

别做蠢事，卡米耶说。

这也是一种说话的方式，梅西埃说。

你是带我去还是不带，卡米耶说，看你那些长着丘疹的婊子？

他们走上右边的路，卡米耶走在人行道里，梅西埃在阴沟边的积水上走着。

谁万岁？卡米耶说。

我听到的是奎因，梅西埃说。

这应该是个不存在的人吧，梅西埃又说。

威士忌还是给他们带来了好处。他们以对老人来说很好的步伐走着。卡米耶舍不得他的拐杖。

我舍不得我的拐杖，卡米耶说，它是我爸用过的。

你从来没对我说过，梅西埃说。

如果你知道的话，卡米耶说。

如果我知道什么？梅西埃说。

说到底，卡米耶说，我们说了一切，单单没有说我们自己。

我们没做好，梅西埃，对此我不会反驳。他思考着。他说出了一句支离破碎的话，也许可以……

说什么半截话啊，卡米耶说，不是在这儿我们把包丢了吗？

离这儿不远，梅西埃说。

在高高的老房子之间，苍白色天空形成的一条长带比街道显得还要窄。它本应该反过来显得更宽才对。夜才会开这样的玩笑。

还好吗，现在？梅西埃说。

对不起，你说什么？卡米耶说。

我问你还好吗，大致上，现在，你，梅西

埃说。

不，卡米耶说。

几分钟后泪水涌到他的眼睛里面。老人相当容易哭，这和人们想象的相反。

你呢？卡米耶说。

也不好，梅西埃说。

房屋的间隔拉大，分开，天宽了起来，他们又可以相互看到对方，他们只需要一扭头，一个往右，一个往左，只要抬起头扭一下，就可以看到。随后，突然间一切似乎在他们面前开了道大口子，就好像是空间断裂了，在从大地映射到天空的阴影中，地面不见了。但这只是些很短的小插曲，他们很快因为他们的处境而震动，两个人的处境，一个高个子和一个矮个子，两个在桥上的人。桥，它是迷人的，对熟悉的人来说。为什么不会呢？不管怎样它叫作闸门桥，正是这个名字，只要弯下腰来就可以确认。

我们到了，梅西埃说。

这儿？卡米耶说。

总而言之，是很快的，梅西埃说。

你的风景呢？卡米耶说。

你看啊，梅西埃说。

卡米耶在不同的水平线上搜寻着。

别挤我，他说，我从头再来。

从河岸上看更清楚,梅西埃说。

那我们在这儿干什么?卡米耶说,你想在这儿吐上几口气吗?

他们走下来,来到河岸上。这儿有条长椅,带靠背的。他们坐了下来。

就是这儿了,卡米耶说。

雨无声地打在运河里。梅西埃为此有些伤感。但是在水平线上方很高的地方,云丝丝缕缕地散开,就像一些纤细的黑色长毛絮,就像垂柳的柳絮。大自然在这方面倒是很细致。

我看到了和我们关押在一起的囚犯,维纳斯,卡米耶说,她看上去像是在萨拉戈萨人的地狱里沉沦。希望不是因为这个你才把我拉到这儿来的。

再远一点儿,再远一点儿,梅西埃说。

卡米耶用一只手搭起凉棚。

可我不近视啊,他说。

再往北一点儿,梅西埃说,往北,我对你说了,不是往南。

等一下,卡米耶说。

再远一点儿,再近一点儿。

就是这个,你的昙花?卡米耶说。

你看到了?梅西埃说。

我看到了两三道模糊的光线,卡米耶说。

因为这必须要有习惯,梅西埃说。

我真想把手指头放进眼睛里面,卡米耶说。

这是古代人的幸福岛,梅西埃说。

古代人脾气挺好啊,卡米耶说。

你会看到的,梅西埃说,你刚才没看对,不过你不会忘记的,你会再来的。

这个可怕的破房子是什么?卡米耶说,面包厂?

我在这儿遇到他的,梅西埃说。

谁?卡米耶说。

瓦特,梅西埃说,他对我说他常常来这儿,过去常来。

这个建筑又是什么?卡米耶说。

一家医院,梅西埃说,为皮肤病患者开的。

是为我开的,卡米耶说。

还有黏膜病患者,梅西埃说。他竖起耳朵。今天晚上他们没怎么吼。他说。

可能现在还太早了,卡米耶说。

卡米耶站起身向水边走去。

当心,梅西埃说。

卡米耶回到长椅上。

你记得那只鹦鹉吗?梅西埃说。

我想得起山羊,卡米耶说。

我想它已经死了,梅西埃说。

我们没遇到太多动物,卡米耶说。

我想那一天它已经死了,在她对我们说她把它放到乡下的那一天,梅西埃说。

别为它担心,卡米耶说。

他第二次向水边走去。他看了一会儿水,然后回到长椅上。

好了,我走了,他说,别了,梅西埃。

晚安,梅西埃说。

他独自一人,看着他的天空消逝,阴影合拢起来。水平线被吞没了,他目不转睛地看着水平线,因为他了解它的爆发,以他曾经的体会。在黑暗中他能听得更加清楚,他听到了漫长的白天为他掩盖的那些声音,比方说,一些人的私语,还有雨打在水面上的声音。

十二

前两章内容的小结

10

荒原。
十字架。
废墟。
梅西埃和卡米耶分开。
回头。

11

残存的生活。
卡米耶一个人。
梅西埃和瓦特。
梅西埃、卡米耶和瓦特。
最后一个警察。
最后一家酒吧。
梅西埃和卡米耶。
闸门桥。

梅西埃一个人。
阴影合拢起来。

        1946 年

图书在版编目（CIP）数据

贝克特作品选集.9，梅西埃与卡米耶/（爱尔兰）贝克特（Beckett, S.）著；方颂华译. —长沙：湖南文艺出版社，2013.12（2025.6重印）
ISBN 978-7-5404-6469-1

Ⅰ.①贝… Ⅱ.①贝… ②方… Ⅲ.①文学－作品综合集－爱尔兰－现代②长篇小说－爱尔兰－现代 Ⅳ.①I562.15

中国版本图书馆CIP数据核字（2013）第262634号
著作权合同登记号：图字18-2013-198

贝克特作品选集9
BEIKETE ZUOPIN XUANJI 9
梅西埃与卡米耶
MEIXIAI YÜ KAMIYE

著　者：[爱尔兰]萨缪尔·贝克特	
译　者：方颂华	
出版人：陈新文	**监　制**：谭菁菁
责任编辑：冯博　李颖	**责任校对**：艾宁
特约编辑：陈美洁　陈莎莎	**装帧设计**：CANTONBON
出版发行：湖南文艺出版社	
印　刷：长沙超峰印刷有限公司	
经　销：新华书店	
开　本：787 mm×1092 mm　1/32	
印　张：5.75	
字　数：95千字	
版　次：2013年12月第1版	
印　次：2025年6月第2次印刷	
书　号：ISBN 978-7-5404-6469-1	
定　价：39.00元	